D1500060

L'ÎLE HAUTE

"Domaine français"

Au cours de l'écriture de ce roman,
Valentine Goby a bénéficié
d'une résidence CICLIC d'une durée
de six mois en Région Centre

VALENTINE GOBY

L'île haute

roman

ACTES SUD

*C'est un monde différent du nôtre, on
y arrive enfant.*

Marquis de Custine,
Mémoires et voyages.

I

BLANC

Le froid saisit le garçon à la descente du train. Détoure son corps osseux, les saillances enfouies sous ses vêtements trop larges, l'arête du nez, les phalanges au bout des mitaines. Il se fige sur le quai, sa valise à la main, enveloppé de son souffle. Il perçoit exactement ses contours, la mince frontière qui le sépare du dehors à la jonction de la peau tiède et de la gangue d'air glacial. La sensation est si aiguë qu'il se figure sa silhouette dissociée du décor, pareille aux personnages découpés d'un théâtre d'ombres. Mais déjà ses formes se dissolvent. La neige lui monte aux chevilles, s'agrippe en gros flocons à son bonnet, son pantalon et son manteau de laine, s'amoncelle sur sa valise, ses chaussures, s'applique à l'absorber comme elle gomme toute chose. De la petite gare, des arbres, des bancs, on ne devine que des volumes polis, remodelés par la neige. Le brouillard fond les alentours dans une matière opaque dont émergent de rares lignes noires : rails, fines faces des troncs contraires au sens du vent, bords de toit. Un squelette de paysage. Même la sœur à ses côtés s'estompe, ses joues pâles, sa robe et son voile beige affadis par la neige ; seules ressortent, comme en suspens, ses montures de lunettes et sa canne.

— Vincent ?

L'homme surgit du froid, la casquette, le pantalon, la pèlerine plaqués de blanc, des glaçons accrochés à la barbe. Il a donc su pour l'avalanche, la voie ensevelie. Il est venu chercher le garçon. La sœur soupire, elle pourra repartir.

C'est leur troisième train depuis Paris. Jamais Vadim n'avait pris le train avant, un train qui distancie la ville. Il était trop anxieux pour être excité. Tout au long du trajet à côté de la sœur il a pensé *respire*, s'est attaché à cette discipline infime : pomper expulser l'air de ses poumons, seconde après seconde, six cents kilomètres d'incertitude fragmentés en milliers d'étapes sûres. Derrière la vitre embuée, il a à peine perçu les lambeaux de paysages défaits par la vitesse. Il a vaguement crayonné son carnet. S'est efforcé à dormir, les omoplates poncées par le dossier en bois. La pluie est tombée dru aux abords de Lyon, s'est muée en neige fondue puis en flocons serrés, une vision exagérée, quasi magique du froid. Chaque correspondance les enfonçait davantage dans l'hiver, l'hiver devait être la destination. Quand le brouillard a coulé jusqu'aux talus de part et d'autre de la voie, le visage de la sœur s'est fermé. La météo, Vadim s'en moquait, inconscient de ce danger-là. Elle savait, elle, ce que signifiait être bloqué au pied du col. Et puis elle était vieille, fatiguée, le risque de ce voyage, en soi, suffisait. Évidemment, Vadim n'a pas vu la plaine du Chedde. Il n'a pas vu la chaîne des Aravis. Il n'a pas vu les dômes, crêtes, aiguilles, sommets insoupçonnables au-delà des nuages. Il a vu des galeries compactes d'épicéas enserrer le train dans la montée, la rame luttait contre la pente et les branches ployées, lourdes de neige, rayaient la vitre du wagon comme des chevelures trempées. Il a vu un tunnel, un boyau plus obscur que l'air. Il n'a pas vu le viaduc arqué par-dessus l'Arve verte. Il n'a pas vu les clochers, les calottes neigeuses en surplomb, les glaciers écroulés, il n'en a pas idée. Le front appuyé à la fenêtre, au ras des rails il a vu des branches hérissées dans le blanc avec des feuilles au bout, il a imaginé des bras étiques hurlant au secours depuis le sous-sol gelé. Il n'a pas entendu l'annonce de l'avalanche, à ce moment-là il déchiffrait un panneau planté sur le quai, intrigué par les sonorités familières en ce lieu complètement étranger : Cha-mo-nix. Il connaissait ce mot, *chamonixe*, il se répétait distinctement les syllabes comme on piétine l'argile, un talon après l'autre, pour faire monter à la surface des cailloux enfouis, cha-mo-nixe-cha-mo-nixe-cha-mo-nixe jusqu'à ce que du fond de sa mémoire jaillisse l'image des petites brioches bombées fourrées de pulpe d'orange, glacées d'une pellicule de sucre qu'il grattait de l'ongle, il y a longtemps, quand on pouvait acheter des gâteaux Chamonix : il en projetait la vision sur le quai enneigé, couchées sous papier translucide dans une boîte en carton L'Alsacienne, et un mirage de biscuit se délitait sur sa langue, et le sucre imaginaire agaçait ses gencives. Les toponymes contradictoires, l'Alsace de la marque L'Alsacienne, à l'est de la France il croyait se souvenir, les Alpes ici plus au sud où se trouvait le panneau Chamonix, la confiture d'agrumes associée à un pays de soleil pour lequel il n'avait pas de nom, faisaient voler en éclats ses notions de géographie : où est-ce qu'on était, exactement ? Où, sur la carte dépliée par sa mère dans la chambre, la veille du départ, à quel point du trajet grossièrement tracé ? Il se sentait perdu. Il avait dû murmurer, la sœur a tapoté sa main, doucement soufflé à son oreille : Chamoni ! Pas Chamonixe… Elle a souri : mon couvent est ici. Puis elle a dit tu as entendu ? Le train s'arrêterait deux stations plus tôt à cause d'une avalanche. Il n'y avait plus qu'à espérer que l'homme était prévenu. Ne t'inquiète pas, Vincent, on y est presque. Trop tard, le mot avalanche faisait surgir une menace de plus. Alors Vadim a dormi jusqu'au bout, il s'est englouti dans le sommeil et il n'a plus rien vu.

Maintenant il est au terminus provisoire quelque part dans le blanc, pas encore arrivé à destination, il ignore tout de ce qui l'entoure sauf la neige et le froid.

— Vincent ? répète l'homme.

Il va se faire à ce prénom-là.

— Oui, c'est nous, c'est lui… dit la sœur. Vous êtes Albert ?

— Albert n'a pas pu venir, à cause de sa jambe. Je suis son frère.

L'homme racle les "r" à la façon du père de Vadim, qui s'efforce d'empêcher l'enroulement de sa langue, rabote les consonnes dans le fond de sa gorge, pour les franciser à la mode parisienne. Mais l'accent diffère, et quand l'homme parle il ouvre à peine la bouche. Pas russe, lui, c'est sûr.

— Vous êtes descendu à pied ?

— L'avalanche est tombée ce matin, j'ai pris de l'avance.

La sœur hoche longuement la tête. Elle pose sa paume sur l'épaule de Vadim, la presse.

— Prenez soin de lui… et faites mes amitiés à l'abbé Payot.

Elle secoue sa robe puis remonte dans le wagon, s'assoit derrière la vitre. Elle regarde Vadim agiter la main, faisant valser les flocons autour de son visage, et muettement articuler au revoir. La neige efface le garçon, confisque son corps maigre, ses verres de myope n'y peuvent rien. Elle pense : c'est ce qui peut lui arriver de mieux.

— La nuit vient tôt, petit, on ne va pas tarder. Fais voir tes chaussures.

Vadim suit l'homme dans le bâtiment de la gare, tape ses talons sur le carrelage.

— Bon...

L'homme se défait de sa hotte, en extirpe un genre de bottes à semelles cloutées, s'accroupit devant Vadim. Trop grandes, à l'évidence.

— On m'a dit que tu avais douze ans...

— J'ai douze ans.

— Pas tes pieds.

L'homme froisse des feuilles de journal, les bourre au fond des bottes, serre les lacets.

— Ça devrait aller.

Il enfonce les chaussures inutiles dans sa hotte, puis tend à Vadim un morceau de pain et une gourde.

— Prends des forces.

Vadim mord le pain, boit à la gourde.

— Donne ta valise, les mains ça peut servir. Jamais dans les poches, compris ?

Ils montent en file lente, espacée, derrière d'autres silhouettes elles aussi descendues du train. Ça ressemble à une petite route, un ruban sinueux parmi les arbres où ils creusent une trace dans la trace précédente quasi évanouie. Vadim fixe ses chaussures, s'applique à se caler dans l'empreinte de l'homme avant qu'elle s'effondre. Il monte haut ses genoux pour s'extirper de la neige, appuie ferme ses plantes de pieds, accroche le sol en dépit de ses godasses de clown, les bras en balancier. Il entend le crissement de feutre sous ses semelles et sous les semelles de l'homme. Il cale son pas sur son pas, son souffle sur son souffle, son cœur bat grave comme un battant de cloche. Ils montent, encordés l'un à l'autre par le tempo de la marche tandis que la neige les recouvre. Autour, Vadim devine des gouffres, des plissements, des reliefs. Il a le pressentiment des caches, des refuges et des pièges, il emprunte sans le savoir des chemins de fuite et de contrebande, il perçoit du mystère dans ce décor sans cesse dérobé à la vue. À un moment, au loin, un sifflement fend le silence ; le train s'ébranle dans la vallée.

Par réflexe, Vadim respire bouche grande ouverte, il y va de sa survie. D'habitude l'effort tient son thorax en étau, il n'y a pas droit contrairement à Jean, le frère aîné aux courses splendides. Ma petite locomotive, sourit sa mère en caressant le visage pâle tant de fois revenu d'entre les morts, elle conserve pour lui du vrai café dans un pot de fer, un trésor, la caféine dilate les bronches, et quand il dort la nuit elle colle l'oreille à sa poitrine. C'est ainsi qu'il est né, asthmatique, et depuis des mois l'espace s'est drastiquement resserré autour de lui. Son père a dû déplacer chez eux l'atelier de cordonnerie, et on avait beau calfeutrer la porte, créer des courants d'air, l'odeur des colles et des solvants ne capitulait pas, attaquait ses poumons, le contraignant à l'exil sur les paliers voisins. Seulement son père n'avait plus le choix, s'il voulait travailler ce serait sans se faire voir. L'espace s'est contracté encore quand le père a fui, que par précaution Vadim et sa mère ont changé d'adresse, cohabité dans une chambre chez les Dorselles, les patrons de sa mère, deux lits séparés d'un paravent de tissu plus mince qu'une peau, leurs vêtements en pile sur l'unique étagère, l'oxygène partagé jusque dans le sommeil. Depuis tout petit Vadim dessinait des mondes miniatures, nervures de feuilles, rainures dans le bois, reflets de flaques, il observait la peau, les pelures, l'écorce, l'aile du papillon, les boursoufflures du verre, les craquelures du cuir, les consignait en dégradés de gris sur les pages de son carnet, une collection de fresques ultra-précises. Il préférait la plus petite échelle, les panoramas de microscope. L'automne dernier, dans la petite chambre il s'est mis à tracer des cylindres, à saturer le papier de tuyaux encombrés, de figures flasques, d'alvéoles en grappes écrasées. On aurait pu y voir des abstractions, de pures formes, un jeu visuel. Mais il exhibait le chaos de son corps, il n'en pouvait plus. La peur du dehors étranglait ses bronches. Le jour de la piqûre d'adrénaline il fixait le plafond, petit gisant au visage marbré, paupières et lèvres violettes mais le cœur au galop, le sang battait en éclairs dans le blanc de ses yeux et sa mère a dit stop. Mme Dorselles avait raison, il fallait que Vadim s'en aille. Son mari connaissait un homme dont la famille avait fait fortune dans le caoutchouc à Ivry, dans la banlieue de Paris. Les Dorselles avaient rendu service à la nièce de cet homme, qui était enceinte, le temps qu'elle fasse passer l'enfant, en l'embauchant un temps comme domestique dans ce même appartement où travaille maintenant la mère de Vadim. L'entrepreneur venait d'une vallée trop étroite pour être lisible sur l'atlas, un lieu haut perché, creusé comme un berceau dans la montagne, qu'il appelait *vallée des Ours*. Quelqu'un là-bas pourrait prendre Vadim. Sophie donnerait une partie de sa paie, les Dorselles se chargeraient du reste.

Vadim ignorait qu'il y aurait une telle pente à gravir, de la neige aux mollets, du brouillard. Sa mère aussi, c'est sûr, et les Dorselles, sinon ils auraient hésité. Il est attentif à son souffle, guette le moindre crépitement, les prémices de l'oppression. Il s'économise, se dit que ses énormes chaussures lui tiendront lieu d'excuse s'il prend trop son temps. Mais rien n'arrive qu'un allègement continu, et puis l'homme s'en fout, de sa lenteur. Ou bien il sait et il patiente. Des petits ballons d'hélium se gonflent un à un sous les côtes du garçon et le soulèvent, il a une curieuse impression de flotter. Le froid glisse dans ses bronches des goupillons de cristal, les gaine, l'air vif y fuse en flèche. La frontière qui sépare sa peau du dehors s'efface et ce n'est pas désagréable, il a les doigts gourds, les orteils durs, il devient le froid. Les flocons se prennent à ses cils, collent à ses joues en un drôle de plumage. La morve gèle sous son nez, il ne sent plus son visage, la laine qui gratte, ses joues brûlées. L'écharpe lui fait une mentonnière, le bonnet un casque, son manteau une étrange armure. Ça lui plaît, même si la pensée de sa mère seule, de son père on ne sait où l'empêche de se laisser prendre complètement. Eux, ils fourragent dans ses boucles avec tendresse et ils répètent pars, Vadim, pars, il s'y résout. Mais en lui quelque chose résiste, parce que quoi qu'il arrive il est le fils de Sophie, de Joseph, le frère de Jean, le petit-fils de Pierre, de Myriam, de Rachel, de Jacob.

— Ça va ?

Vadim lève la tête. Les ombres devant eux ont disparu, il y a peut-être des habitations autour ou elles ont bifurqué.

— Ça va.

L'homme pose la valise, masse son épaule, désigne le ciel. Il dit que là-haut c'est le col. Le col est fermé six à sept mois de l'année, la route aussi, il y a bien douze mètres de neige par-dessus, parfois c'est quatorze, vingt mètres. Le seul moyen d'entrer dans la vallée c'est le tunnel de Montroc. Si le train peut y rouler tu le prends, s'il est bloqué tu marches sous le tunnel, tu traverses la montagne, tu dépasses l'avalanche.

— C'est ce qu'on va faire.

Vadim regarde vers le col invisible, qui barre l'accès au lieu de l'ouvrir, cadenasse la vallée peut-être, ou la protège. Peu importe, tant que la vallée est un abri. Ils bifurquent entre des maisons éparses dont ne s'échappent ni bruit ni lumière, rejoignent la voie ferrée, ou plutôt l'imaginent, dans le résidu de sillon qui mène à l'entrée du tunnel.

— Fais gaffe aux chandelles, dit l'homme, le faisceau de sa lampe braqué sur une frange de stalactites.

Vadim scrute au plafond les minces poignards dorés, bouche fantastique. L'homme casse deux branches d'un arbrisseau, en secoue la neige et les élague.

— Je garde la lampe pour après le tunnel, il dit, on n'aura pas de repères pour marcher dans la nuit. Tandis qu'ici, on a le mur. Tu racles la branche contre le mur, jusqu'au bout.

L'homme éteint sa lampe, Vadim s'engouffre à sa suite dans le tunnel et le noir les aspire. Comme l'homme, Vadim tient sa branche dans la main droite et frotte la paroi. Ce n'est plus le silence du dehors, les bruits tout à l'heure assourdis résonnent maintenant, renvoyés en notes claires par la pierre puis affadis d'écho en écho. Vadim s'entend renifler, souffler. Le grattement des bâtons, les semelles frappées contre la terre, le craquement des flaques à moitié gelées, les goutte-à-goutte et les succions de la boue répétés se fondent en un magma bizarre, une symphonie de grotte, à croire qu'ils sont dix, vingt là-dessous à marcher avec eux. Il se rend compte qu'il surveille pour rien sa respiration, l'air entre et ressort limpide. Alors il se concentre sur la lumière, il la cherche. Il a beau dilater ses pupilles, pas la moindre lueur au-devant. Même pas un furtif reflet sur la glace, qui doit pendre en orgues tout le long de la voûte. Quand il se retourne, c'est noir aussi. À un moment il entend un frottement métallique, un bouquet d'étincelles brasille. Puis on entend une pierre rouler.

— À ton tour ! dit la voix de l'homme. Y a qu'à se baisser, tu ramasses un caillou et tu rayes le mur.
Vadim saisit une pierre, frappe le mur.

— Raye fort !
Il n'est pas doué, il a les mains gelées, il allume trois paillettes et s'écorche les doigts. L'homme rit, le tunnel démultiplie son rire et Vadim lâche la pierre. Puis le frottement de la branche retentit à nouveau. Vadim l'imite. Le bras lui tire, à force. Soudain, un point blafard perce les ténèbres. L'homme balance la branche, Vadim aussi. Le point se dilate, ils progressent à la vue. La sortie du tunnel est une trouée creusée dans l'avalanche, une béance blanche dont il faut enjamber le bord.

— Rien de fragile ? demande l'homme en levant la valise.

Vadim secoue la tête. L'homme lance la valise par-dessus le bourrelet de neige puis tend au garçon une main sûre, viens, viens vite ça n'est pas stable, on ne fait pas de pause ici.

Voilà, ils ont traversé le tunnel. Il ne neige plus. Pas un flocon. Pas une once de vent. Le brouillard tient le paysage dans un crépuscule blanc. On dirait un monde arrêté, figé sur une plaque de verre dans le gélatinobromure d'argent – Vadim en a vu, de ces impressions, chez son voisin de Paris, le visage collé aux cercles oculaires d'une visionneuse.

Ils empruntent un passage grossier dans la neige, on est sûrement venu ici avant eux, un homme ou bien un animal. Vadim se demande quel instinct dicte à l'homme où poser son pied sans glisser, se tordre la cheville, se faire happer par une cavité. De temps en temps il jette un œil par-dessus son épaule, pour voir : ça y est, le tunnel se resserre derrière eux. De l'autre côté il y a l'immense journée de Vadim, chamonixe, les traces de front, de doigts sur les vitres embuées, les sommeils profonds, les milliers de respirations contrôlées pour tenir, toutes les gares, les quais et les arrêts, le périple depuis Paris, la chambre étroite chez les Dorselles, l'appartement familial déserté. Il est mort de fatigue. Ici, c'est la vallée des Ours où il n'est que Vincent.

Ils progressent le long de la voie qui plonge et se courbe. On entend le chuchotement d'un torrent, un cri d'oiseau, presque irréels dans l'espace immobile. Ils coupent à gauche, montent un talus, s'enfoncent dans la neige jusqu'aux hanches, débouchent dans une tranchée aux parois droites et nettes comme creusée à coups de pelle, deux fois plus haute que le garçon. Et il a cette pensée, tout d'un coup, lui qui ne connaît pas grand-chose aux textes sacrés, celui-ci a dû l'impressionner ou bien il en a vu un tableau, une image, de la mer Rouge ouverte devant Moïse en murailles gigantesques. Il avance en somnambule avec ses cuisses de glace, ses genoux de glace, ses mollets de glace, ses pieds de glace, il se figure les parois de neige se refermer derrière eux. Il lutte contre la main de glace qui ferme ses paupières, accroche son regard aux coulées grises pendues au ciel, rochers lointains, forêts peut-être, ou bien ce sont des rêves. Il fixe le halo jaune de la lampe sur la neige. Par-delà les murailles, il aperçoit juste quand il les dépasse des maisons écrasées de neige, des rais de lumière derrière des fenêtres calfeutrées. Puis rien que la tranchée et le rond de la lampe. Il trébuche. L'homme se retourne.

— Deux kilomètres et on y est. Tiens, mange. Et balance tes bras, comme ça, d'avant en arrière, pour faire circuler le sang.

Le garçon mord dans le pain noir et le laisse fondre sur sa langue, mâcher c'est trop d'effort. Ils marchent sur la route des Confins en pente inexorable, il n'en sait pas le nom mais ne s'en étonnerait pas, s'il savait ce que confins veut dire, le bout du monde ne peut pas être loin. Une maison, un virage. Le halo de la lampe, obstinément. Ils quittent la tranchée, montent à l'oblique de la route maintenant, une trace dans la neige partiellement recouverte et leurs pieds s'enfoncent encore. En haut, un hameau, des maisons bien serrées aux volumes plus sombres que la nuit. Alors l'homme s'arrête, éteint sa lampe. Secoue sa pèlerine, frappe ses chaussures contre une marche et pousse une porte.

D'un coup la lumière enveloppe le garçon, une odeur
forte de feu, de soupe, d'animal. Au bout de la main
qui le retient il y a une femme. Tout ce qui suit se
produit dans un songe. La femme dit tape tes chaussures. Il le fait. Puis viens, tu es gelé. Il vient, avec
son manteau, ses chaussures, se laisse conduire et
asseoir près d'un poêle. Elle ne lui demande rien,
ni l'homme, ni un autre homme qui lui ressemble
comme deux gouttes d'eau sauf qu'il boite, ni un autre
plus vieux qui fume la pipe, ils l'observent, il a froid
ils disent, ça se voit, il est épuisé, c'est normal, il ira
mieux demain, donne-lui à boire, donne-lui à manger, la femme essuie énergiquement ses cheveux dans
un chiffon, lui se perd dans les rainures du parquet.
Les chaussures du garçon dégouttent sur le plancher,
des petites flaques se forment sous son manteau, ses
lacets dégèlent. La chaleur brûle ses mains, ses pieds,
son visage, vrille ses tempes. La femme déboutonne
son manteau, l'enlève. S'agenouille, défait ses lacets,
ôte doucement ses chaussures, ses chaussettes trempées, frotte ses pieds entre ses mains.
— Tu as faim ?
— Non, merci.
— Prends quand même.
Elle lui tend une cuillère pleine d'une pâte ambrée,
il la fourre dans sa bouche. Le miel explose sous ses
papilles, c'est trop, il grimace, écœuré. Elle prépare
une tisane, lui demande de boire. Il boit, ça a un
goût d'herbe et de médicament. Il n'en peut plus. Il
veut seulement dormir alors il boit vite. Il tangue
derrière la femme dans l'escalier, entre à l'aveugle
dans une petite chambre où tremble une ampoule
sous un abat-jour en dentelle. La femme lui tend
une chemise propre.

— J'attends derrière la porte, tu me donneras tes vêtements pour que je les fasse sécher.

Il se déshabille avec des gestes ivres, lutte pour ne pas s'écrouler. Il frissonne au contact de la chemise rêche. Ramasse en boule ses vêtements, les tend par la porte entrouverte.

— Tu feras attention à la brique, hein ?

Il ne comprend pas, il veut dormir.

— Oui.

— Bonne nuit, Vincent.

— Bonne nuit madame.

— Moi c'est Blanche.

— Blanche, il répète en écho.

Il s'engouffre sous les couvertures, heurte de ses orteils une masse chaude, soulève le drap : la brique. Il la repousse au fond du lit, balance l'oreiller de plumes, jamais de plumes pour l'asthmatique, ferme enfin les yeux. Il entrevoit les visages de sa mère, de Jean, de son père tels que les emprisonne le médaillon de cuir resté dans sa valise, en bas, étiquetée au nom de Vincent Dorselles. Il est Vincent maintenant. La neige recouvre les visages.

C'est le jour qui le réveille. Ou bien sa nuque raide figée dans la position de la veille, il a dû dormir d'un sommeil de pierre. Ou bien le froid sur sa cuisse, il a rejeté la couverture pendant la nuit. Ou bien les coups dehors, réguliers, quelqu'un frappe avec des han sonores. Ou bien le bruit de cloches à travers le plancher, pas le son profond des cloches d'église, pas le tintement aigu de la cloche de service dont sa mère use chez les Dorselles mais un carillon doux, irrégulier, sans injonction, pareil au vent dans les branches ou au bruit d'une fontaine, une mélopée juste pour l'oreille, pour faire joli. Ou bien c'est l'odeur de soupe. Ou bien sa vessie. Il se couche sur le dos et sa vessie s'enfonce entre ses hanches, il se tourne sur la tranche. À ses pieds il sent la brique froide. Il s'étire, touche le mur du bout des doigts, glacial, se rappelle. Vallorcine, la vallée des Ours. Il aperçoit la tête d'un chat. La place est tiède à sa droite, près du rond de salive. Le chat a dormi là, dans son haleine, sans l'étouffer ? Il tend les doigts vers le chat, d'habitude il n'a pas droit aux chats, à cause des poils. Le chat se rétracte et miaule. Vincent se lève, courbaturé, s'approche en grelottant de la fenêtre, les orteils rétractés en serres d'oiseau, les plantes de pieds douloureuses. Il écarte un bout de toile. Gratte le givre épais sur la vitre, fait un rond de buée, la gomme d'un pan de chemise. Double fenêtre, rien à voir qu'une lumière blanche.

Il n'ose pas descendre, il n'a pas d'habits. Mais le ventre lui fait mal. Il entrouvre la porte, le chat s'enfuit. Derrière la porte sur le parquet, ses affaires séchées et pliées. Il s'habille vite. Il descend les marches une à une en se tenant le ventre, il a honte de les faire grincer, de s'annoncer comme ça avec sa vessie pleine, il ne se souvient même pas des visages de la veille. En bas de l'escalier il voit une cuisine, un fourneau où fume une marmite, et une fenêtre étroite complètement obstruée par la neige. Il jette un œil du côté des sons de cloches. Il voit deux culs de vaches au pelage blanc et roux, de vraies vaches qui bougent, dans la maison, font de drôles de bruits de mastication. Provisoirement il oublie sa vessie, fixe les croupes et les queues qui se balancent. C'est là, petit, derrière les vaches, dit la voix du vieil homme assis près du poêle. Derrière les vaches ? Vincent regarde du côté des bêtes, pas sûr de comprendre. Ou bien dehors, continue le vieux en tapant sa pipe, mais alors il faut te chausser. Vincent cherche des yeux ses chaussures de la veille. Elles sèchent devant le poêle. Il trouve son manteau pendu à une patère, noue son écharpe et se précipite à l'extérieur. Sauf du côté de la façade, une coque de neige enserre complètement la maison. C'est là, lance une autre voix, il reconnaît l'homme d'hier, il tend sa pelle vers une cabane en bois que le garçon rejoint en perçant une croûte de neige dure et vierge, il en déduit que les autres doivent préférer l'étable. Quand il en sort, claquant des dents, il est face à la montagne.

C'est la première fois qu'il voit une montagne. Elle a jailli à son insu, le temps d'aller pisser. Il n'est plus qu'un garçon qui regarde une montagne. Il voit, dressée au milieu d'une profonde échancrure et gravée sur le ciel pâle, une forme blanche et noire vaguement triangulaire, asymétrique, avec un sommet raboté de guingois, comme si toute la roche allait s'affaisser d'un côté, entraînée par un poids invisible. Le soleil est encore caché, on devine qu'il monte derrière le massif tout proche, un halo d'or enveloppe la montagne. Vincent a vu des gravures de montagnes dans les manuels scolaires, peut-être quelques photos bichromes de cascades ou de glaciers, elles n'ont pas laissé d'empreinte dans sa mémoire, paysage de papier. C'est une chance : la montagne est une surprise totale. Et quand bien même un vague cliché serait revenu à Vincent, un dessin, il n'aurait pu, c'est certain, le préparer à la vision de cette masse-là, énorme, émoussée, biscornue, si peu semblable aux schémas enseignés. Les toponymes de ses leçons de géographie ne lui ont rien appris, Alpes pennines, Alpes grées, Alpes cottiennes et tant d'autres forment des suites insensées de sons, il a ingéré tout un vocabulaire d'orographie décrivant les reliefs, plissements huroniens, calédoniens, hercyniens sur des cartes aux légendes froides incluant rayures, hachures et nuancier de gris, et maintenant qu'il a devant lui de vrais versants, de vraies gorges, de vrais pitons, du vrai schiste, du granit, des calcaires, il ne les reconnaît pas. Il n'a jamais quitté la ville, il n'a même pas de montagne intérieure, il n'a pas lu de romans, vu de films, entendu de légendes, nulle montagne n'a habité ni sa vie ni ses rêves, son cerveau n'a formulé aucune hypothèse, le réel n'a pas de fantasme à contredire. S'il tend les mains, Vincent peut d'un coup masquer le relief. Il n'a pas idée de la distance, de la hauteur. À Paris il connaît une montagne, la montagne Sainte-Geneviève, elle culmine à 61 mètres au-dessus du niveau de la mer, et s'il ignore ce chiffre il a des yeux pour voir et il comprend, figé devant la cabane dont la porte claque doucement derrière lui, que les mots ne sont pas sûrs, ils ne sont que des indices : Sainte-Geneviève et ça, ce n'est pas le même monde. Il a changé d'échelle.

Et puis il se souvient d'une montagne. Une montagne peinte dans un livre, que le vieux voisin a tiré de sa bibliothèque un jour où il lui faisait la lecture, bouté hors de l'appartement par les odeurs de colle. À la fin de leur séance, le garçon avait marqué la page du roman d'un de ses dessins à la mine de plomb, le voisin avait demandé à voir. Il avait scruté les formes ovoïdes dispersées sur la feuille, qu'est-ce que c'est ? Peut-être des matières prises dans une flaque, ou bien des moisissures à la surface d'un mur, ou un reste de soupe dans l'assiette de son père, Vadim ne savait plus, mais le voisin s'est levé, a extrait un gros volume d'une étagère et l'a ouvert devant lui. Des silhouettes indécises flottaient sur le papier. Des cercles flous et de couleurs sur fond noir, des sortes d'insectes à cils et à pattes sur toile crème, des créatures animales miniatures dans un bain bleu, des sphères et figures serpentines assemblées en galaxies qui rappelaient ses dessins à lui. Étonnant, hein ? a ri le voisin. Vadim a tourné la page. Il a vu un tableau intitulé *Moscou*, la ville de son père n'était jusqu'alors qu'un nom pour lui, et il a fixé les bâtiments penchés arrondis sur une drôle de planète au milieu du ciel, constituée de fracas de paysages frappés de rayons multicolores. Il a tourné une autre page, il a vu une montagne, ou plutôt le titre l'affirmait, un monticule bleu profond cerné d'un arbre rouge et d'un arbre jaune avec des chevaux au premier plan. Une montagne modeste, plus petite que les arbres, un triangle presque isocèle. Il n'avait jamais vu Moscou, jamais vu de montagne et il a refermé sur sa paume la couverture du livre pour lire le nom écrit en lettres majuscules : "KANDINSKY". Le lendemain, le vieil homme a offert à Vadim une boîte de crayons Caran d'Ache – la couleur, petit, pour dessiner, c'est mieux – et une rame de papier épais, au grain fin, doux au toucher, que Vadim a emportés ici intacts. Mais la montagne de Kandinsky vole en éclats, pareille aux gravures de manuels, face à celle qui s'impose à l'instant à Vincent.

Appuyé au manche de la pelle, l'homme d'hier fixe le garçon qui fixe la montagne. On dirait qu'il a vu une fée. Lui n'a rien connu d'autre. Il sait par cœur chaque volume qui compose la montagne, sa présence lui est familière depuis l'enfance comme celle de son frère, de son père, comme l'écoulement de l'eau dans le bassin, la forêt au-dessus de la Villaz. C'est à cause du garçon qu'il interrompt ses coups de pelle, qu'il regarde la montagne. Depuis trente-deux ans et sa première sortie dans la hotte de sa mère, mille variations du même motif se sont superposées, confondues, la vision primitive écrasée par toutes les suivantes. Et s'il s'est quelques jours éloigné du côté de Chamonix, Sallanches ou Martigny, l'absence n'a pas suffisamment duré pour faire la place au manque ou à l'oubli, et laisser la montagne le surprendre au retour. Est-ce que la tour Eiffel lui ferait le même effet que la montagne à ce garçon ? Il ne se souvient d'aucune première fois. Ni de sa première traite. Ni de son premier bain dans la rivière. Ni de sa première pellée de neige, ils n'ont pas laissé de trace sensible en lui. Il cherche ; si, peut-être sa première coupe de bois, sa première ivresse. Il sent que ce n'est pas à la hauteur de ce qu'éprouve le garçon et sans doute il l'envie un peu, ce gosse, qui comme lui a perdu son premier pas, sa première syllabe, son premier biscuit, mais à douze ans, n'oubliera pas sa première montagne. À le voir, bras ballants, bouche béante, yeux écarquillés, il sait que son anxiété de la veille a cédé à une sorte d'enchantement.

— Tu vas congeler !

Le garçon sursaute.

— Ça, dit l'homme, c'est les aiguilles Rouges.

Vincent ne voit ni le rouge ni les aiguilles. Mais il accepte ce nom étrange, injustifié, comme il reçoit l'irruption de la montagne dans son existence. Ici de toute façon tout sera neuf, inattendu.

— On est venus de là-bas, hier, dit l'homme en tendant le manche de la pelle. Le col des Montets est dans le creux, dans un ancien verrou glaciaire. Il dit qu'à droite, caché derrière la forêt, c'est le col de Bérard, où le soleil se couche. La petite encoche blanche, sur la gauche, c'est le mont Blanc. Vincent est stupéfait, il a traversé tout cet espace sans rien voir. Même le mont Blanc, le plus haut sommet d'Europe, il l'a appris en classe. Et de l'autre côté, dit l'homme, dans le dos de Vincent, c'est la Suisse. Vincent pivote, aperçoit une frange de blanc au-dessus d'un bouquet d'arbres. L'homme dit tu verras mieux d'en bas, tu ne peux pas rater les dents de Morcles. Vers la Suisse pas de col mais des gorges profondes, et puis des barbelés bien sûr. Vincent récapitule, d'un côté, donc, douze mètres de neige au col et un tunnel sous l'avalanche, de l'autre une frontière fermée. Vincent voit seulement des pentes couvertes de neige et d'arbres et des lignes mauves contre le ciel cyan, aucune démarcation dans le paysage n'indique quel rocher est suisse, quel rocher est français. Il croyait que ça se verrait, une frontière, il se souvient des gros traits rouges tracés sur la carte dépliée par sa mère avec des petites croix en dessous comme des chevaux de frise, elle promenait son doigt par-dessus l'épaisse cicatrice : c'est la Suisse elle disait, avec un sourire mystérieux. En Suisse, chuchote l'homme, il y a du tabac.

Vincent se retourne vers les aiguilles Rouges. Elle ressemble à un poulpe, cette montagne, avec ses versants renflés. Il l'ignore, elle n'appartient pas à la chaîne du Mont-Blanc en dépit de sa proximité, ici

pas de ces glaciers somptueux que Victor Hugo qualifiait de murailles d'argent, pas de contrastes aigus, d'aiguilles visibles, de décor spectaculaire source de chefs-d'œuvre littéraires ou picturaux – qu'importe, il ne sait pas que ça existe. Ce que voit Vincent, c'est un morceau de massif cristallo-schisteux plus ancien, plus arrondi, qui constitue ce que les géographes appellent les Alpes externes. Autrement dit, un relief plus modeste, plus facile à apprivoiser. Un jour sûrement, d'autres montagnes altéreront cette expérience originelle, plus pathétiques, plus conformes aux récits des grands alpinistes ; mais aucune ne pourra effacer l'image première, si nette, de ce jour de janvier, elle a la force des initiations. Cette vue-là des aiguilles Rouges se fixe en lui maintenant et pour toujours, sédimente, et chaque nouveau regard l'enfoncera plus loin dans sa rétine. Pour Vincent désormais, cette montagne est *la* montagne, les suivantes n'en seront que des variations.
— Alors Vincent, bien dormi ?
C'est Blanche qui l'appelle, une main en visière sur le seuil de la maison. Elle dit je t'ai fait du café, viens. Il suit la femme et les coups de pelle reprennent dans son dos. Il voit tout de suite la motte de beurre sur la table. Ronde, très jaune, avec un couteau planté droit dedans. Une motte entière de beurre. La femme s'assoit en face de lui, lui tend un bol fumant et de la saccharine, ça sent l'orge grillé. Les odeurs assaillent Vincent. Celle de la neige qui subsiste dans l'air froid engouffré à l'intérieur, un mélange de fleuve et de sève de feuille. Le bois dans le poêle, la pipe du vieil homme, les vaches, la soupe, le beurre rance qu'il racle sur le pain. Mets-en plus dit la femme. Il n'ose pas. Alors elle prend le

31

pain et le fait pour lui, plus je te dis, il faut que tu reprennes des forces. Il mâche à petites bouchées, n'ose pas lever les yeux vers la femme. Il jette des coups d'œil par la fenêtre où persiste un bout de montagne sous les gerbes de neige.

— Je me souviens de la première fois que je les ai vues, les aiguilles Rouges.

Les hommes grommellent, mais elle, Blanche, articule toutes les syllabes, ajoute des "e" très doux à la fin des mots.

— À Marseille, les montagnes on les voit de loin, et la neige c'est au mieux une tache sur les rochers. Un été, les enfants que je gardais à Marseille sont allés passer des vacances à Chamonix – chamoni, elle dit, comme la sœur. C'est là que j'ai rencontré Albert, il travaillait sur un chantier. Il a essayé de me dissuader de venir ici.

Les saisons étaient différentes, il lui avait dit, elle vivrait six mois d'hiver au moins bouclée dans la vallée, il faudrait se suffire. Avec -20 °C facile en janvier-février, la terre gelait et on devait attendre pour enterrer les morts. Les enfants qui léchaient le givre sur la barrière métallique du pont se déchiraient la langue. Les congères mesuraient deux étages, des voyageurs marchaient sans voir de village jusqu'à ce qu'ils s'aperçoivent qu'ils se tenaient debout sur un toit, on pouvait creuser sous la neige des tunnels de dix mètres de long pour accéder aux maisons par le haut. Des couloirs d'avalanches isolaient les hameaux, des torrents de pierres et de neige remontaient jusqu'au versant opposé après avoir traversé la rivière, ils emportaient des gens, des habitations, des forêts entières, parfois même le clocher de l'église, la nef avait déjà été remplie de neige et les cloches s'étaient mises à sonner toutes seules. La vallée était entourée de crêtes jamais inférieures à 2 300 mètres, traversée d'une multitude de vents, la culture et l'élevage y étaient des paris constants. D'ailleurs ceux qui n'étaient pas de la vallée, les épouses, les prêtres, les instituteurs ne supportaient pas longtemps, et même ceux qui étaient nés à Vallorcine s'en allaient par fratries entières – un siècle plus tôt, de retour de son voyage, Charles Nodier écrivait déjà qu'ici *tout est fini devant vous, derrière vous, à vos côtés. C'est une demeure fermée comme l'Éden de la famille bannie.*

Vincent a délaissé la montagne du dehors. La tartine en suspens au-dessus du bol, il fixe l'autre montagne esquissée par les mains volubiles de Blanche, les crêtes, les pentes, les congères, le clocher, les coulées d'avalanches, les tunnels creusés dans la neige. Blanche sourit.

— Je me doutais qu'il exagérait. On ne peut pas rester quand tout est hostile. C'est de moi qu'il voulait être sûr.

Elle avait peut-être pensé à la promesse de vert intense, de tiédeur après tant de froid, au soleil vibrant qui suivrait forcément de si terribles hivers, de tels contrastes offriraient de l'aventure. Quand elle a vu la montagne, celle-là elle dit, toute de travers, désignant la fenêtre poudrée de neige, elle a pensé qu'Albert, avec sa jambe qui boite, sa silhouette différente, bancale, lui ressemblait. Et cette bizarrerie lui a plu.

— Elle te plaît, à toi aussi ?

Comment répondre à cette question. Vincent n'en sait rien. C'est la montagne, voilà, sa première montagne. Il hoche quand même la tête, sonné par le flot de paroles après le grand silence de la veille et de la nuit. Il veut faire plaisir à cette femme, il croit qu'acquiescer lui fera plaisir, la montagne surgie de ses mains le subjugue. Il s'aperçoit du léger strabisme qui resserre son regard, tient son visage à lui comme des paumes. Pour se donner une contenance il promène ses yeux sur l'étagère, observe la rangée de pots en porcelaine ornés de fleurs brillantes, classés par ordre décroissant, où s'inscrivent en lettres dorées les mots farine, poivre, sucre, thé, café, épices, il se demande si comme les pots de sa mère ils contiennent en fait des boutons, du fil, des sous. Puis il mord sa tartine, plonge le nez dans son café.

— Elle est bavarde, hein… sourit le vieux en tapant sa pipe dans le fond de la pièce.

— Bon, tu as compris ? Louis, c'est le père d'Albert et d'Éloi. Éloi, dehors, c'est le frère jumeau d'Albert. Albert c'est mon mari.

C'est facile de les différencier, l'un boite et l'autre pas.

— On va descendre à la coop, je te préparerai un bain ce soir.

Au début, dans la descente, il tourne le dos aux aiguilles Rouges. À cause de l'avalanche pas de train, donc pas de courrier, ni de journal, *Le Petit Dauphinois* auquel ils s'abonnent, l'hiver, en commun avec les voisins, pour s'assurer que la trace sera faite par le facteur puisque le cantonnier réserve ses raquettes à la route. Alors ils ont de la neige aux genoux. Blanche avance en jupe et bas de laine, la neige doit mordre son ventre. Les Aiguilles surgissent d'un coup après le virage, dorées, détourées sur la vallée d'ombre. Une église se profile plus bas, un clocher, sûrement le clocher entrevu hier dans la nuit. Ils

descendent et s'enfoncent, le clocher et l'église gros-
sissent, avalent à leur tour la montagne, c'est une montagne intermittente. Tu vois le mur derrière l'église ?
demande Blanche. Elle tend la main, dessine une
flèche dans les airs : là, le grand rempart en forme
de V ? L'ombre et la neige brouillent les volumes
mais les mains de Blanche modèlent un rempart
comme elles ont modelé une montagne tout à
l'heure, révèlent l'énorme renflement de pierres érigé
dans le champ. Blanche dit c'est la tourne, elle protège des avalanches. Et il se souvient de l'histoire du
clocher emporté par une coulée. Il y a un grand couloir au-dessus de l'église, tu vois ? Vincent ne sait
pas à quoi ressemble un couloir d'avalanche, mais
les mains de Blanche fendent d'un coup le versant
droit du massif. Cette griffe claire dans la forêt, ce
doit être ça. Ils dépassent l'église, la montagne est
de nouveau visible. Ici, tu marches vite, si ça coule
tu peux être asphyxié par la neige, tu comprends ?
Vincent ne sait pas si Blanche plaisante ou exagère.
Elle fronce les sourcils, lève le menton, sérieuse, resserre l'étau de son strabisme autour des tempes du
garçon : tu ne t'arrêtes pas, tu entends ?
— Oui.
Il aime la sensation de sa chaussure qui traverse
sans bruit la poudreuse, puis fait crisser la neige tas-
sée sous sa semelle. C'est une neige intacte, compacte, incomparable avec le grumeau sale qui se
forme quelquefois sur les trottoirs à Paris. Là-bas,
l'hiver est un ornement provisoire, ici le paysage
est sculpté dedans. Ils avancent sur un terrain plat
désormais, la couche est moins épaisse, la marche
plus aisée même si Vincent a les pieds gelés. Vue
d'ici la montagne éclate en point de mire et ce n'est

plus un poulpe, un phare, constate Vincent, c'est un château géant à demi écroulé, une forteresse en ruines ; non, avec tout ce soleil, c'est le dôme d'un palais. Il y a vingt hameaux dans la vallée, séparés par des couloirs d'avalanches, et trois écoles à cause d'eux, continue Blanche sans ralentir. Elle égrène une liste de noms, un à chaque enjambée, et une buée fine s'échappe de sa bouche. Vincent ignore si ce sont des noms de hameaux, des écoles, des couloirs, ça fait une flopée de hameaux ou une flopée de couloirs. Nous, à *laviyeux*, elle dit, le bras tendu vers l'arrière, les yeux rivés droit devant, il pense que *laviyeux* doit désigner leur hameau à eux, on a le *rang* à droite, la *golèzeux* au-dessus de l'église, sûrement des noms de couloirs d'avalanches, et encore quelques autres jusqu'au chef-lieu où est ton école. Ils traversent un groupe de maisons, la montagne se brise à la surface des bassins. Il s'étonne de l'eau fluide aux becs des fontaines. Des couloirs tu en as aussi des tas en face, sur l'envers, dit Blanche, et Vincent scrute les longues balafres qui traversent la forêt, tu as vu celui des Montets, hier après le tunnel. Il hoche la tête, incertain, il n'a rien vu qu'un énorme amas de neige crevé de croûtes noires. Tu feras attention, hein ? Elle s'arrête, sa main presse son épaule. Il comprend qu'elle ne fait pas le guide, elle fait la mère, cette marche est une mise en garde. Oui, il répond, même s'il ignore ce que signifie faire attention, pour les avalanches. Soudain des blocs de béton et de ciment à étages se dressent dans le blanc. On pourrait croire à une erreur dans la scénographie, une confusion dans les décors. *Hôtel du Mont-Blanc*, déchiffre Vincent sur une façade.

— Voilà le chef-lieu ! La coop, l'école, l'épicerie, la mairie, la gare, les hôtels…

Blanche dit chef-lieu comme on dit capitale, mais on ne voit qu'une poignée de bâtiments éparpillés dans le blanc. Vincent reconnaît la tranchée deux fois haute comme lui empruntée la veille. Au fond, la montagne semble barrer la route. Quelques passants se pressent, portant un cabas ou une hotte, se saluent dans une langue que Vincent ne comprendrait pas même s'il essayait mais de toute façon, il est aimanté par les aiguilles Rouges où il distingue maintenant des sapins pareils à de fins hérissons de ramonage, des affleurements de roche et les dentelures, échancrures, excroissances greffées au sommet penché.

— Attenzione ! crie l'homme qui rattrape le garçon de justesse.

Vincent balbutie des excuses, se sent rougir, essuie son manteau. Il a le temps d'apercevoir un uniforme kaki, un pantalon bouffant, un chapeau élégant piqué d'une plume.

— Les Italiens… chuchote Blanche en s'éloignant.

Il n'écoute pas, il a de la montagne plein les yeux, les tympans, les poumons, les synapses, il est envahi de montagne, elle est trop immense, trop étrange, trop nouvelle pour qu'il s'en détache. Ce sera facile d'être un autre ici.

Mais à l'instant où à l'intérieur de la coop, dans le combiné du téléphone que lui tend Blanche, la voix de Paris décroche, il oublie tout :

— Bonjour madame Dorselles, il dit, c'est Vadim.

Le téléphone fonctionne malgré l'avalanche. Blanche ouvre de grands yeux, articule en silence : *Vincent*. Le garçon ne semble pas saisir et la voix parle toute seule dans le combiné à l'autre bout de la ligne tandis qu'il déchiffre la bouche de Blanche.

— Euh, c'est… Vincent, il bégaie, madame Dorselles.

Maman… corrige la bouche de Blanche. Vincent se mord la joue, il ne sait plus ce qu'il doit dire. La voix continue de parler dans le téléphone.

— Non, pas votre fils. Oui je vais bien.

Si ça se trouve, depuis sa pension de Normandie, le vrai Vincent Dorselles téléphone quelquefois à sa mère, et peut-être leurs voix se ressemblent, à lui et au fils, autant que leurs visages, et alors elle l'a pris quelques secondes pour son fils même s'il l'a appelée Mme Dorselles. Elle dit prends soin de toi, je te passe ta mère. Il n'a jamais parlé au téléphone avec sa mère. Quand la voix de Sophie retentit, Vadim se déplie en lui et occupe tout l'espace. Il est le fils de Sophie, la voix de sa mère fait jaillir son visage en mirage, Vadim, mon chéri, elle dit, il lutte contre la tentation de ressusciter sa silhouette entière. Il reste muet, hoche et secoue la tête en réponse aux questions comme si Sophie pouvait le voir, il ne veut pas se tromper encore, trahir. Elle dit que tout le monde va bien, qu'il ne s'inquiète pas, elle est contente de l'entendre, qu'il soit arrivé, surtout qu'il remercie ces gens qui l'accueillent, elle dit qu'elle l'embrasse et alors il sent l'eau de Cologne dans sa nuque penchée, et ses mèches de cheveux contre sa tempe, et quand il raccroche il a un trou au ventre. Blanche paie ses commissions, tend les tickets, les cartes d'alimentation, range au fond de la hotte les semelles de bois achetées à la taille de ses chaussures de Paris. Quand ils quittent le magasin il a peur qu'elle se fâche. Mais elle s'en tient à murmurer Vincent Dorselles Vincent

Dorselles Vincent Dorselles Vincent Dorselles, dila-
tant les syllabes, les ornant de son accent chaud, et
il regarde remuer ses lèvres sans comprendre. Puis
il devine, il ajoute sa voix à la sienne, Vincent Dorselles Vincent Dorselles Vincent Dorselles, sur le
chemin du retour ils clouent en douceur le nom
sous son front et Vadim se rétracte à mesure dans le
corps du garçon, et quand leur babil meurt le nouveau nom tourne tout seul en boucle dans sa tête.
Vincent Dorselles, Vincent Dorselles, alors que côté
Suisse surgit le bloc blanc des dents de Morcles, qui
ne compte pas plus de dents que les aiguilles Rouges
d'aiguilles. Vincent Dorselles, Vincent Dorselles, le
soleil se répand, nappe la neige plus bas que l'église
et là-haut les reliefs qui surplombent le hameau.
Vincent Dorselles, Vincent Dorselles, il entend,
frappé de lumière vive. L'écho retentit entre ses
tempes tandis qu'ils tapent leurs chaussures à l'entrée
de la maison pour en décrocher les glaçons, tandis
qu'ils mettent la table, tandis que Blanche soulève
le couvercle d'une jarre à odeur de vinaigre et en
tire des œufs crus qu'elle casse dans la poêle, tandis
que le jaune gras tapisse les muqueuses du garçon
et glisse dans sa gorge, Vadim de Paris ne se souvient pas du goût des œufs, tandis qu'ils mangent
la soupe tous les cinq. Et il résonne encore tandis
qu'il aide Blanche à faire la vaisselle, à l'essuyer, à la
ranger. Tandis qu'ils redescendent jusqu'au chef-lieu
dans leurs chaussures mouillées à l'heure où le soleil
plonge derrière la montagne, pour saluer le maître
d'école parce que demain c'est jeudi, jour de congé,
et qu'il faut se présenter une fois avant la première
classe de vendredi. Et quand le maître demande :
Vincent, c'est bien ça ? la voix du garçon annonce

résolument, oui monsieur : Vincent Dorselles. Ils rentrent au hameau, le soleil est reparu à la droite des Aiguilles pour s'enfoncer aussitôt dans le col, et toutes les crêtes et les sommets sont noirs bordés d'un liseré d'or. D'un coup la lumière refroidit. Blanche stoppe net, se retourne : regarde ! Le soleil a complètement disparu. La montagne se dresse à contre-jour dans le ciel vert. Ce n'est plus le dôme d'un palais, se dit le garçon, c'est une île. Une île dans la neige. Une île haute.

Il lutte quand même contre Vadim, jusqu'au soir. Vadim a douze ans, 4 380 jours il calcule, sans compter les mois qui le rapprochent de ses treize ans ni les années bissextiles, Vincent vingt-quatre heures. C'est Vadim bien sûr, il n'y peut rien, l'atmosphère est si familière, qui apporte les semelles de bois à l'atelier, Albert doit les ajuster à ses chaussures de ville pour en faire des socques. Le garçon voudrait dire que son père est cordonnier, surtout quand Albert pince les lèvres, admiratif devant la finition des chaussures. Mais le père de Vincent Dorselles est assureur et si le garçon se dit qu'eux, ici, sont peut-être conscients de qui il est, il veut s'habituer au nouveau nom et ils doivent le vouloir aussi car on ne lui pose aucune question sur Paris, sur Vadim. Dans l'atelier, ça ne sent pas le cuir et la colle mais une odeur de sève. Des planches s'entassent derrière l'établi, des copeaux tapissent le sol et se prennent aux sourcils d'Albert. Il reconnaît des outils, un rabot, un marteau, des limes, des scies. Pas d'enclume, pas d'embauchoirs, pas d'alènes, pas de fils. Il voit des dizaines de ciseaux curieux suspendus à des clous, en forme de petites gouttières. Albert ponce la semelle de bois, une poussière fine flotte en halo autour de ses mains mobiles. Elles rappellent au garçon les paumes calleuses de son père, ses doigts forts, fendus autour des ongles, les ongles jaunis de tabac sous le halo de la lampe.

— Vous êtes cordonnier ? il demande.

Albert lève la tête, surpris.

— Moi ? Je suis vallorcin !

C'est plus simple d'être Vincent devant les images inédites qu'à l'atelier d'Albert. Face au relief et à la neige, bien sûr. Et aussi quand Blanche trait les vaches et la chèvre par exemple, qu'il regarde son dos osciller doucement tandis que le jet de lait invisible frappe le seau en bois entre ses jambes, et l'urine s'écoule dans la rigole à purin, et les poules gloussent dans l'enclos de poche, et un mouton se pelotonne en tremblant à côté de la mangeoire, il n'a jamais vu ni poule, ni chèvre, ni mouton, ni vache de près avant Vallorcine, sauf écorchés pendus par le cou dans la vitrine du boucher. Ou quand Blanche verse le lait dans un seau plus large par-dessus la crème, quand elle sale et retourne les tommes à pleines mains, il n'a jamais vu de bassine de crème, de fromage en train de maturer. Ou quand Blanche coupe le pain dur au rabot de menuiserie, ou étale pour son goûter de la confiture de myrtilles sur une tranche de pomme de terre, rien de tout ça n'a existé avant. Des mains de Blanche sont nés une montagne, une tourne, des couloirs et des avalanches, et le nouveau monde continue à se déplier, il regarde ses doigts bouger, donner forme à chaque heure du jour, faire apparaître les objets. Pendant qu'Albert et son frère poncent, frappent, scient à côté dans l'atelier, elle et Louis sculptent des boîtes dans un morceau de pin arolle, y découpent des losanges, des pétales de rosaces à la lame d'opinel, une telle scène n'a pas de précédent dans la vie du garçon. Il ne pense pas à essayer, à imiter leur gestuelle, il observe, écoute, se coule passivement dans le scénario décidé pour lui, il est entre leurs mains. À un moment, Blanche fait chauffer de l'eau sur le fourneau, verse l'eau fumante dans une bassine en zinc et tend un drap en paravent en travers de la cuisine. Elle veut que le garçon se lave. Il obéit, se lave longuement, l'eau chaude amollit son corps recroquevillé dans la bassine pour ne pas être vu à contre-jour du drap, il frotte toute sa peau au savon noir, la fait rougir, sa figure, ses cheveux, et même ses gencives et ses dents de la pulpe de l'index. Devant le minuscule miroir il trace une raie dans ses boucles, au-dessus de l'oreille droite. C'est la raie de Vadim. Il peigne en sens contraire, trace une raie du côté gauche. Aplatit de sa paume une mèche rebelle. La raie de Vincent Dorselles. Il joue avec le peigne, droite, gauche, droite, gauche, griffe ses cheveux en arrière. Blanche balance l'eau dehors.

Avant de se coucher, il embrasse le médaillon de cuir où veillent son frère et ses parents puis le glisse dans sa valise à côté des cachets d'aminophylline. Sous les couvertures, il frotte ses orteils à la brique. Écoute le silence à nul autre pareil, même les cloches des bêtes se sont tues. Quand une détonation résonne, d'avalanche ou de bois éclaté, elle fait le silence plus profond encore. Il imagine la montagne dans la nuit. La lune sur le flanc de l'île haute.

— Avant, ici, c'était la mer.

Vincent ne sait pas s'il faut le croire. S'il exagère lui aussi. Éloi l'a trouvé devant la porte comme hier, statufié dans la contemplation des Aiguilles. Le jour se levait à peine, il s'apprêtait à rejoindre les poseurs du côté du tunnel pour déblayer la voie de chemin de fer. Elles ne vont pas disparaître, tu sais ! il a dit. Puis il a parlé de la mer. Elle aurait recouvert le sol pendant des millions d'années, et tout ce temps des poussières de matière en suspension, des boues se seraient déposées au fond de l'eau par-dessus les végétaux, les animaux marins. Des millions d'années, ce n'est pas concevable pour Vincent, au-delà du siècle le temps est un gouffre impossible à sonder. Ce qu'il connaît de plus vieux c'est Notre-Dame, dont les huit cents ans lui semblent plus proches de la préhistoire que de lui-même. Plus tard, quand les continents se sont rencontrés, dit Éloi, le fond de l'océan s'est soulevé à 2 000 mètres d'altitude, même les plages où se promenaient les dinosaures. Dans les aiguilles Rouges et les Posettes tu trouves des fossiles de fougères et de créatures sous-marines. Une fois, j'ai vu un fossile de bélemnite, ça ressemble à une seiche on m'a dit, une sorte de poulpe. Un poulpe comme la forme de la montagne, pense Vincent. Avec des petits tentacules au-devant de la bouche, ajoute Éloi en remuant les doigts sous son nez. Éloi n'a jamais vu de seiche, la forme oblongue sculptée dans la pierre lui a fait penser à une balle de fusil. Les bélemnites, c'est tout ce qu'il connaît de la mer. Vincent veut que ce soit vrai. Que l'océan ait recouvert les montagnes. Il se figure des coquillages, des insectes aquatiques prisonniers de fines coques d'anthracite, toute une faune et toute une flore oubliées

43

là-haut, dans les plis de la roche, messagères de mondes disparus. Qui sait, un jour on pourrait trouver des mammouths congelés, des rhinocéros ? Il l'a peut-être appris à l'école, certaines étoiles sont si lointaines que leur lumière perceptible n'est qu'une vibration posthume, les rayons d'un astre mort. Mais dans le ciel de Paris les étoiles sont à peine décelables. C'est ici, devant les Aiguilles à fossiles, que Vincent fait l'expérience simultanée de l'instant et de la durée, du présent et d'un passé sans fond, il se raccorde à des temps si anciens qu'il en a le vertige. Une vision pareillement hallucinée des origines du monde avait frappé Saussure face au mont Blanc, la première fois. Oh oui, pourvu que ce soit vrai. Tant de démesure l'excite. Et si un jour la mer revenait ? Recouvrait la vallée jusqu'au col, la frontière, les hameaux, toute la neige pour ne laisser dépasser que les sommets ? Des poissons nageraient entre les maisons, il pousserait des algues dans les couloirs d'avalanches, l'île haute serait vraiment une île dans un archipel à fleur d'eau.

— Ah si, sourit Éloi, cassant une stalactite pendue au toit, à Chamonix j'ai vu la mer.

La mer, à Chamonix ?

— La mer de glace.

Vincent sait que les pôles sont couverts de glace, mais Chamonix ce n'est pas le pôle, il y était avant-hier. La mer de glace est un immense glacier, dit Éloi, hérissé de pointes et crevassé, comme des vagues de mer il paraît. Et qui bouge comme la mer. Le glacier bouge tout le temps.

— Tu as déjà vu la mer, Vincent ?

— Non.

— Moi aussi j'ai vu la mer de glace.

C'est la voix d'une petite fille, là, derrière eux.

— Et c'est beau, hein ? Dis, ton père est déjà parti ?

La fillette hoche la tête.

— Alors je vais le rejoindre.

Éloi s'éloigne dans la neige, sa pelle sur l'épaule. Vincent se retourne vers la petite fille qui le fixe gravement. C'est difficile de lui donner un âge. Elle n'arrive pas au menton de Vincent, toute menue sous la pèlerine, ses doigts enserrent de grosses pelotes de laine. Ses yeux noirs s'enfoncent dans les orbites, ses pommettes saillent, elle a des lèvres fines, un nez pointu. Une tête d'oiseau dépareillée du corps.

— Tu es le nouveau. Je t'ai vu parler avec le maître hier.

— Oui.

— Comment tu t'appelles ?

— Vincent.

— Moi c'est Moinette.

Vincent se demande si c'est le féminin de moineau. Elle semble lire dans ses pensées.

— En fait je m'appelle Annette. Quand j'étais petite, on me demandait mon prénom et je répondais moi, Annette, elle dit en pointant l'index sur sa poitrine. C'est devenu Moinette. Vincent c'est ton vrai nom ?

Le cœur du garçon s'emballe.

— Évidemment, il répond, faussement assuré.

La petite fille fronce les sourcils.

— Vraiment ?

Ses pupilles transpercent son front, là ou Blanche a cloué le nouveau nom à force de le répéter.

— Puisque je te le dis.

La petite fille soupire.

— Jamais entendu. Tu as quel âge ?

— Douze ans. Et toi ?

— Dix. Bon, je vais donner les pelotes à Blanche.

Vincent la suit dans la maison. Blanche débarrasse Moinette. C'est la laine de leur mouton, la mère de Moinette la file pour eux en échange de quelques pelotes, elle est moins douce que le lin mais elle tient plus chaud, tiens, touche. Depuis le rationnement, la mère de Moinette a ressorti le rouet de sa grand-mère.

— Tu lui montreras le rouet, Moinette ?

— Est-ce qu'il va au caté aujourd'hui ?

— Sûr qu'il y va.

Vincent essaie de suivre. Le catéchisme ?

— Mon père dit que la cousse arrive. À midi au plus tard.

Blanche touille la soupe.

— Toi, tu cherches une excuse pour être dispensée… je comptais sur toi pour présenter Vincent.

— Il aura son quota dimanche, marmonne Albert depuis l'atelier.

— Tu dis à ma mère que je reste avec lui, alors ?

— C'est l'abbé Payot qui ne va pas être content. Tu es sûre, Moinette, pour la cousse ?

— Sûre.

— Je parlerai à ta mère. Mais alors tu montres tout à Vincent.

— Quoi, tout ?

Blanche énumère : le foin, le fumier, la soupe des poules, les fromages à retourner… Moinette fronce les sourcils.

— Il ne sait pas le faire ?

— Vincent, lance Blanche, tu sais le faire ?

— Non.

Elle rit et il est mortifié. Il y a mille choses qu'il ne sait pas faire. Monter à vélo, siffler, jouer de la musique, parler anglais, danser, marcher sur les mains, se couper les ongles de la main gauche, faire un gâteau, recoudre une chaussure, des gestes incongrus, ou inutiles, ou précoces pour un garçon de douze ans, et ici ceux de son âge partagent sans doute les mêmes ignorances. À Paris il aurait ajouté toutes les tâches énoncées par Blanche, ça n'aurait étonné personne. Mais à Moinette ça semble inconcevable. Elle lui demande s'il a des vaches. Des poules. Il dit qu'il vit dans un appartement, qu'il n'a jamais eu d'animaux.

— Même pas un chat ?

— Non.

Elle hésite à le croire.

— C'est vrai, coupe Blanche. Allez, montre-lui.

Moinette emmène Vincent chez elle. Il voit sa mère, ses deux sœurs, une va se marier et l'autre est un peu femme de chambre à l'hôtel du Mont-Blanc, son grand frère est parti déblayer la voie de chemin de fer avec son père. Elle dit j'en ai six autres, enfin une est morte, un est menuisier à Sallanches, un à l'usine à Chedde, deux en pension au collège de Bonneville… elle recompte sur ses doigts, ah, et une au couvent.

— Dix. C'est pour ça qu'on me prête. Toi aussi tu es prêté ?

Il ne comprend pas.

— Tu es prêté à Blanche, c'est ça ?

— Comment ça, prêté ?

— Ben, elle a pas d'enfants !

Vincent secoue la tête.

— Alors pourquoi tu es venu ?

— Je suis asthmatique.

C'est au tour de la fille de ne pas comprendre.

— Je respire mal… la montagne est un médicament.

— Ah.

— Et toi, tu es… prêtée à qui ?

— À ma tante, au Nant, le plus souvent. Ils n'ont pas d'enfants. Et à la veuve Burnet au Mollard. En fait, toi, on te prête Blanche et Albert, hein ?

— J'ai des parents.

— On te prête l'air de Vallorcine.

— On peut dire ça.

L'explication convient à Moinette. Vincent entend des cloches. Un bêlement. Ici aussi il y a une étable, des vaches, une chèvre, des poules, même des lapins. Une cuisine avec une marmite, un poêle à bois, la maison est une réplique de celle de Blanche. Moinette soulève la marmite, la pâtée des bêtes. Il ne fait rien, elle lui montre seulement, comme l'a demandé Blanche. Elle porte l'énorme marmite toute seule, nourrit les poules et les lapins dans l'écurie – l'*écurie* dit Moinette, pas l'étable, Vincent croyait que l'écurie c'était pour les chevaux mais il n'y a pas de cheval. Il suit la fille partout, la voit retourner son matelas, pousser le foin par la trappe au-dessus des vaches, étriller le poil roux qui frémit sous la brosse, remplir des seaux à la fontaine dehors et les verser aux vaches et dans la rigole à purin. Moinette le fixe en biais quelquefois, tandis qu'elle exécute sans commentaire une série de gestes maîtrisés, intériorisés comme les mouvements d'une chorégraphie ancienne tellement ancrée dans le corps qu'on n'y songe plus, elle s'étonne de la naïveté du garçon, ne s'en amuse pas encore. Il est soulagé qu'elle lui tende la hotte de son frère pour l'aider à sortir le fumier, de pouvoir être utile à quelque chose.

Ils marchent l'un derrière l'autre à travers champ, sa hotte est plus haute qu'elle, jusqu'à un trou dans la neige où un tas de bouse a déjà durci, et ce faisant ils longent la forêt. Le ciel est blanc, le vent forcit. La cousse arrive, dit Moinette sans se retourner. Il n'a pas saisi ce qu'est la cousse, il devine un phénomène météorologique singulier, quelque chose qui empêche, puisqu'ils renoncent au catéchisme. Il se demande comment Moinette en connaît les signes : le ciel blanc ? le vent ? quoi d'autre ? Le long de la forêt, Vincent voit des rubans de neige solide enroulés en guirlandes autour des branches. Des mélèzes pareils à des squelettes de glace. Des fantaisies rouge vif détourées du blanc général, il en ignore les noms mais leur élégance l'émerveille : longues tiges nues soulignées de glace, fruit d'églantiers comme des bonbons givrés, drupes du sorbier des oiseleurs surmontées de hauts chignons de neige, on dirait des lampions, ou bien, sous l'arbre aux branches ployées, un feu d'artifice gelé. Une telle splendeur discrédite la menace d'une tempête. Moinette s'arrête sans cesse pour attendre Vincent, elle finit par se moquer. T'as jamais vu un arbre ? T'as jamais vu la neige ? Quand ils se penchent pour ramasser les hottes, leurs fronts se frôlent. Alors Moinette aperçoit sous la peau diaphane du garçon des deltas de veines bleutées. Elle lâche sa hotte, tend ses doigts vers le visage de Vincent. Il ne bouge pas, paralysé. Les doigts froids pianotent sur sa joue, légers, suivent le parcours des veines. Descendent sur la gorge où bat un renflement de peau translucide. Il ne dit pas t'as jamais vu de veines, t'as jamais vu de peau, t'as jamais vu de gorge. Les yeux fixés sur ses chaussures il se laisse apprivoiser, le garçon-vampire, c'est ainsi qu'on désigne l'asthmatique à l'école Baudelaire, ce n'est pas méchant, il est habitué, même si personne ne l'a touché avant. Il ne sait pas combien de temps ça dure. Moinette approche ses doigts des épaisses boucles noires, n'ose pas s'y enfoncer. Elle retire brusquement sa main. Scrute le ciel, semble y lire quelque chose.

— On rentre.

Viennent les premières rafales. Ils marchent dans leurs propres empreintes dont les contours s'effondrent, balayés par le grésil. Très vite, la neige tourbillonne en aiguilles et crible leurs visages. Une gaze descend sur la vallée, qui gomme les contrastes. Vincent tourne lentement sur lui-même dans le nuancier de gris. Il ne reconnaît plus le paysage aux allures de photo ancienne, sa montagne a disparu, avalée par la brume. Alors il imagine qu'il a remonté le temps de plusieurs siècles ou millénaires ou millions d'années, avant les aiguilles Rouges, avant les Posettes, avant les dents de Morcles. Ici s'étirerait une plaine bordée de reliefs polis par le vent, un pays de neige pure, ininterrompue, pas encore soulevé par les chocs tectoniques, pas encore envahi par la mer et dont il serait le découvreur, premier vivant à le fouler, il n'y a même pas d'oiseau, même pas un ver de terre, aucun animal, il est le seul témoin.

— T'as jamais vu la cousse ?

La neige raye l'air, horizontale maintenant, il comprend mieux la diagonale étrange des stalactites suspendues au toit. Ils marchent contre le vent, tête baissée, le vent plisse leurs yeux et les frappe au plexus, repousse leurs épaules, s'engouffre dans les hottes et les tire en arrière. Moinette est si fluette, avec ses vêtements plaqués, la hotte colossale qui masque sa tête, les bourrasques pourraient l'emporter. Ils font une halte au bûcher, une provision de bois, leurs doigts anesthésiés s'échardent sans douleur. À l'intérieur Moinette poursuit sa ronde et Vincent la talonne. Elle garnit le poêle, sale et retourne les fromages à la cave où, un index posé sur la bouche, elle plonge soudain le doigt dans la bassine de crème et le tend à Vincent. C'est une fourmi, se dit le garçon en passant la langue sur ses gencives. Il pense à la fable de La Fontaine, il a bien aperçu dans la chambre de Moinette une maison de poupée, une dînette, des aiguilles et un début de tricot sur son chevet – ma chaussette de la semaine, elle a précisé aussitôt, mon père les vend à une boutique de Chamonix – mais Moinette ne joue pas, son corps en mouvement constamment confisqué par les tâches qu'on lui assigne. Il se demande si c'est parce qu'elle a promis à Blanche de lui montrer *tout*, ou bien si c'est une journée ordinaire. Il se demande si c'est ce qu'on attend de lui, s'il devra accomplir seul les mêmes gestes dans la maison de Blanche, si ce sont ses devoirs d'enfant. L'après-midi, la cousse fait grincer les fenêtres, les portes, on pourrait se croire dans un bateau sur une mer déchaînée, enfin c'est ce qu'il se figure. La mère de Moinette se met au rouet. Ses gestes désuets conjugués à l'outrance de blanc au-dehors envoûtent Vincent. La chaleur du poêle l'engourdit. Il somnole, un bras entourant ses genoux, l'autre tendu vers Moinette qui ôte patiemment ses échardes.

— Bon, elle dit, on a du travail.

Moinette fait chez Blanche ce qu'elle a fait chez elle, sauf le fumier, la cousse est trop forte, l'air est si opaque qu'on pourrait le mâcher. Vincent la regarde, n'intervient pas, il tente de mémoriser ses mouvements, sait qu'il n'y arrivera pas, tout est trop neuf. Le jour décline, Moinette s'apprête à rentrer chez elle, mais avant elle demande à Vincent :

— Dis, tu fais quoi, chez toi, si tu n'as pas de bêtes, pas de fromages, pas de fumier ?

Vincent réfléchit. Il dit je fais mes devoirs, je dessine, je joue aux billes avec les copains, je lis, j'aide ma mère. La fille écoute. Quelle vie étrange, disent les sourcils levés. Elle se résout à croire qu'il vient d'une autre planète. Que Paris est une autre planète. Elle veut lui montrer quelque chose avant de s'en aller. Il faut qu'ils se rechaussent, qu'ils sortent, il n'en peut plus lui, être trempée semble parfaitement égal à Moinette. Debout dans la bourrasque elle fait de grosses boules de neige, les lisse de la paume en sphères parfaites. Elle dit vas-y, toi aussi fais des malottes et il l'imite, se répétant malotte, malotte pour ne pas flancher, les flocons durs entrent dans son col, fouettent sa peau, il n'ose pas désobéir. Encore une, elle dit. Elle plonge une à une les boules dans le bassin, les égoutte, puis les aligne à l'abri sous le toit entre le mur et la gangue de neige.

— Demain ça fera des boules de glace transparentes.

Des boules de cristal, il pense, comme celles des voyantes où on peut lire l'avenir. L'avenir si loin, si trouble.

— À quoi ça sert ? il demande.

— À rien.

Ces boules de neige, c'est le premier geste de Moinette qui n'est pas purement utile.

— C'est juste pour moi alors ?

Moinette hausse les épaules puis s'éloigne, la capuche rabattue sur la tête, absorbée par la cousse.

Ce soir-là il y a d'autres offrandes. Albert a fabriqué un cartable et un plumier en bois. Vincent a déjà vu des roues de vélo en bois, des semelles de chaussures en bois, pas de cartable. Le cartable est lisse, cousu de bois, un rabat de mélèze aussi souple qu'un cuir le referme, et une boucle de bois et un bouton en bois. Vincent tient le cartable dans une main, le plumier dans l'autre, il voudrait remercier Albert mais rien ne sort. Il ne sait pas pourquoi ces gens font ça. Ni pourquoi les Dorselles lui ont offert les papiers d'identité de leur fils. Ils doivent espérer quelque chose de lui, seulement il n'a rien à donner. Alors il oscille d'un pied sur l'autre, silencieux, le cartable et le plumier balancent au bout de ses bras. Il se sent voleur. Il file dans sa chambre avec ses trésors.

Avant de s'endormir il feuillette l'almanach de 1942 trouvé dans l'armoire, *Le Messager boiteux* – quel nom bizarre. Ses yeux ne s'attardent pas sur la chronologie de l'année 1941, les cartes et les noms de batailles. Il préfère décrypter les commentaires griffonnés plus loin dans les pages du calendrier par une main anonyme, soins aux bêtes, travaux de printemps, cultures, montée des vaches à l'alpage, météo, travail du bois. Ainsi des mondes parallèles coexistent et s'ignorent. Des fronts de guerre s'ouvrent en Europe tandis qu'à Vallorcine une certaine *Charmante* est menée au taureau et qu'au même moment, à Paris, Vincent s'en rappelle, sa mère reçoit pour la première fois une lettre de son mari en allé depuis deux mois. Le 18 juillet les foins commencent à Vallorcine, c'est marqué, là, en lettres serrées, et le même jour, juste après qu'a eu lieu la rafle du Vél d'Hiv, Vincent et sa mère emménagent chez les

Dorselles. Août, temps des moissons ici, sécheresse, temps des vacances à Paris, Vincent joue sûrement au lac des Batignolles interdit aux Juifs et la guerre continue et s'étend sur la carte du monde. Le 9 décembre, le bois abattu du côté de la Villaz est traîné au bûcher, Vincent se concentre, il faisait quoi, le 9 décembre, ce n'est pas si loin, la piqûre d'adrénaline avait eu lieu, il devait savoir, déjà, qu'il allait s'en aller, quand, comment et où exactement il n'aurait pu le dire mais la décision était prise. Le 20 février 1943 raccorde Vadim à Vincent, Paris à Vallorcine, seule date d'un temps à venir notée dans l'agenda de l'année dernière : le bois coupé il y a trois mois, en novembre, alors que le garçon ignorait jusqu'au nom de la vallée, sera bientôt fendu. Par curiosité il cherche la page du jour, 22 janvier, il y a pile un an. Et il lit : Saint-Vincent. Aujourd'hui même. Il n'en revient pas. Personne n'y a fait allusion. Peut-être parce qu'ils savent qu'il n'est pas un vrai Vincent. Mais il glisse l'almanach dans sa poche. À défaut d'être Vincent, il prouvera à Moinette que Vincent est un vrai prénom.

Et comme il a été Vincent tout le jour, qu'il a tenu, il s'autorise à être un peu Vadim. Il se relève, ouvre sa valise, saisit le médaillon de cuir. L'embrasse, le repose. Le reprend, l'emporte avec lui dans le lit. Suture provisoirement les mondes séparés.

Voilà, c'est son tour. Le maître a terminé l'appel, répété quatre ou cinq mêmes noms de famille pour la trentaine d'élèves. Son nom à lui, le garçon de Paris, sera unique. Il a compris qu'il était parmi les grands de la classe, ceux du certificat d'études sûrement, et remarqué que les pieds de son voisin ne touchaient pas le sol. Moinette est à deux tables, ronde comme une bobine avec son pantalon enfilé par-dessus la robe, la robe rentrée à l'intérieur, indifférente aux railleries, aucune autre fille ne porte de pantalon. C'est dans cette tenue qu'elle est passée le chercher à l'aube, on avait dû tenter de la dissuader de sortir avec cette bouée de laine autour du ventre car elle soufflait sur le seuil, le visage fermé, marmonnant qu'ils ne se rendaient pas compte, eux, les bas trempés toute la journée. Il tâtait l'almanach dans sa poche avec le nom de Vincent écrit à l'intérieur, il lui montrerait tout à l'heure. Ils sont descendus vers l'école l'un derrière l'autre, une bûche chacun dans le cartable pour jeter dans le poêle, la neige était haute, dense à cause de la nuit de cousse. Il étrennait ses socques, bordées de drôles de clous pour accrocher la neige qu'Albert appelait ailes de mouche. D'habitude j'y vais à skis avait dit Moinette, et Vincent avait pensé que c'était à cause de lui, le pantalon gonflé par-dessus la robe, parce qu'il ne savait pas skier. À lui aussi, on prêtait Moinette. Les autres, il ne les a pas vraiment vus avant d'entrer en classe, leurs silhouettes poussaient sur des bâtons et fendaient l'air bleu autour d'eux. Et puis ils ne traînaient pas, Moinette et lui, à cause du couloir au-dessus de la cure, il avait tant neigé la nuit. Deux garçons ont jailli de l'église dans un pan de lumière jaune, c'est toi encore ? a demandé Moinette à l'un d'eux. M'en parle pas, a répondu le garçon, j'en ai marre de servir la messe, un mois que ça dure. Des ombres venaient à pied du hameau tout proche, chancelantes. D'autres déboulaient à skis du chef-lieu, la pente était plus douce que depuis la maison de Blanche, ils s'envoyaient en glissant des paquets de neige à la figure.

— Tu as vu mes boules de glace ? avait demandé Moinette.

Vincent avait hoché la tête. Il mentait, il avait complètement oublié. Il avait le trac, il sentait gargouiller son ventre plein de pommes de terre et de faux café, il avait eu du mal à avaler. Non à cause de l'école, l'école il connaissait. L'enjeu c'était tenir son rôle sans faillir, mieux qu'au téléphone la veille. Dans la classe, il n'a plus osé sortir l'almanach, mais le sentir contre sa cuisse le rassurait. Le maître lui a désigné une table, lui a dit je fais l'appel et je te présente. Plusieurs élèves étaient absents. L'un à cause d'engelures, il ne pouvait pas marcher, avait les pieds en sang répétait une fille avec une moue mi-gourmande mi-dégoûtée, tout le monde riait et Moinette retroussait ses lèvres sur ses dents crénelées. Vincent ignorait ce que sont des engelures, il entendait *angelures*, le mot léger, ailé, jurait avec l'idée de douleur. Une fille de Barberine assistait à la classe, elle n'avait pas pu retourner chez elle après le caté, la veille, à cause de l'avalanche du Rand qui menaçait, elle avait passé la nuit au Sizeray.

Le maître le fixe, sourit, c'est à lui maintenant. Le garçon touche la couverture de l'almanach au fond sa poche, Vincent existe, Vincent Dorselles, il entre en scène, le maître écrit son prénom au tableau. D'abord le V aux magnifiques volutes, c'est le V familier de Vadim. Les autres lettres suivent, et puis le nom de famille, et le maître se tourne vers la classe :

— Je vous présente Vincent.

Alors une tache verte éclate au tableau. Vert foncé, le vert forêt du versant de l'envers, ici à Vallorcine, la vallée surmontée de sapins sombres. Le vert de Vincent lui saute au visage. Il a toujours associé les lettres de l'alphabet à des couleurs, il n'avait pas été surpris le jour où l'institutrice lui avait fait lire en classe les *Voyelles* de Rimbaud. Il se représentait l'alphabet comme une ligne continue dont chaque lettre saillait en couleur singulière. La semaine comme une boucle de matière plissée variant du rouge sombre au vert, blanc, rose, rouge vif, gris clair et gris foncé. L'année comme une courbe descendante de janvier à décembre, formée de petits rectangles de couleurs plus clairs les premiers mois, plus lumineux l'été, verts dès l'automne, presque bruns au début de décembre. Les chiffres montaient en pente douce du rouge au noir de 1 à 10 puis tombaient dans un gris de plus en plus dense jusqu'à 100, grimpaient dans des nuances de métal au-delà de 1 000 et se perdaient dans le noir. Le phénomène était visuel, les chiffres, les lettres dansaient séparément devant ses yeux, V rouge, A blanc, D jaune, I rouge, M noir. Pour la première fois, c'est le son qui dicte la couleur. Le maître a dit Vincent et les lettres ont fondu en un même à-plat vert, et Vadim dans sa tête a sonné rouge brûlant.

— Vincent vient de Paris.

Personne ne peut douter d'un nom écrit au tableau par le maître, prononcé par la bouche du maître.

— Que savez-vous de Paris, les enfants ?

Il écoute : Paris. Violet.

— C'est la capitale.

— C'est loin.

— Parigot tête de veau, chuchote un garçon.

— Parisien tête de chien !

— Qu'est-ce que j'entends ?

— Il y a la tour Eiffel.

Eiffel. Blanc.

— Quoi d'autre ?

— La Seine !

Seine, bleu foncé. La Seine est grise en vérité, la tour Eiffel peinte en marron, quel gouffre entre le réel et le son.

— Émile connaît bien Paris, dit le maître.

Il désigne au deuxième rang un garçon aux oreilles décollées occupé à tripoter son encrier.

— N'est-ce pas, Émile ?

— Je suis allée à la Samaritaine avec Mémé plusieurs fois. Mais c'était avant, je m'en rappelle plus trop.

Le maître dit qu'Émile vivait en région parisienne. Il était en vacances à Vallorcine chez sa grand-mère quand la guerre a éclaté, il est resté. Émile porte une culotte plus courte encore que celles des autres garçons. Ses chaussettes n'arrivent qu'à sa cheville. Dans cette neige. Il a les cuisses et mollets rouges et gercés sous le pupitre, Vincent le voit. La guerre c'était à la fin de l'été, peut-être qu'Émile n'a que des vêtements d'été. Lui n'a que des habits d'hiver. De l'hiver parisien. Un pantalon. Il est le seul garçon qui porte un pantalon. Lui plus Moinette.

— Je connais mieux Ivry que Paris, maître, bredouille Émile.

Ivry ? Le mot fait bourdonner le sang aux oreilles de Vincent. Il transpire soudain. Ivry, il se souvient, c'est le nom de la ville de banlieue où travaille l'ami des Dorselles. L'usine de caoutchouc d'Ivry, a dit Mme Dorselles. Des Vallorcins qui travaillent à l'usine de caoutchouc d'Ivry, ça ne doit pas courir les rues. Si ça se trouve Émile le connaît. Si ça se trouve Émile est son fils. Si ça se trouve il sait, pour Vadim.

— Moi, dit un garçon, je suis allé à l'Exposition universelle en 1937. J'ai même vu le Planétarium. Et le Louvre.

Louvre, pourpre.

— Moi mon oncle est gardien d'un lycée à Paris, j'ai une carte postale de l'Arc de Triomphe et une autre des Champs-Élysées.

— Et toi, tu as vu l'Arc de Triomphe ?

Triomphe, jaune orangé.

— Quelquefois, répond Vincent.

Il garde les yeux rivés sur Émile, scrute son visage. Mais Émile se moque de la conversation, concentré sur son index plein d'encre qu'il frotte dans un mouchoir.

— Tu es monté sur la tour Eiffel ? demande une fille.

— Non.

— Moi oui, dit celui qui a vu l'Exposition universelle. Et j'ai pris le métropolitain.

Vincent n'est pas allé à l'Exposition ou ne s'en souvient pas, il n'a pas visité le Planétarium ni le Louvre, même s'il l'a vu de l'extérieur. Le métro il connaît, bien sûr.

— C'est quoi ?

— Un train sous la terre, il dit. Comme dans le tunnel de Montroc, mais tout le temps.

Il connaît le parc des Batignolles – Batignolles c'est bleu-vert, l'avenue de Clichy, l'atelier de M. Franck le patron de son père – mais il n'est pas le fils de Joseph Pavlevitch ici, il est le fils de Jean-Marie Dorselles, assureur, alors pour la cordonnerie il s'abstient – et toutes les boutiques de l'avenue et du quartier, les boulangeries, les épiceries, les couturiers, le maroquinier, la modéliste, la papèterie, l'oiseleur, et l'école Baudelaire, le marché couvert et l'enchevêtrement des aiguillages du côté de la gare de Pont-Cardinet. Montmartre, il dit, qui est hors de l'arrondissement, il s'y promène le dimanche, sous le Sacré-Cœur qui ressemble à un énorme gâteau. Il connaît Notre-Dame aussi, décorée de tas de frises en pierre et de gargouilles. Il sent qu'il les déçoit. Ils veulent la vue depuis la tour Eiffel, le voyage dans l'espace du Planétarium, le voyage dans le temps du Louvre. Qu'il ne puisse rien en dire, il devine que c'est un peu comme si eux n'étaient jamais allés jusqu'au col des Montets, jusqu'au pied des Posettes ou des aiguilles Rouges. Ce serait louche. Ils vont douter de lui, ils vont croire qu'il invente alors que Vincent Dorselles est une fiction mais que son Paris est vrai, vraiment vrai. Ils vont imaginer qu'il ment sur toute la ligne, qui raconte un bobard peut en dire cent. Il veut les éblouir, il lance qu'un pont surmonté de statues d'or enjambe la Seine, il a vu des péniches trois fois longues comme l'église de Vallorcine glisser dessous, et des dômes d'or scintillent tout autour. Il se rassure de les voir un instant médusés, seulement ce pont, il ne se souvient plus de son nom.

— C'est grand, Paris, dit le maître, on ne peut pas tout connaître.

Le maître est son allié.

— Qui est allé à l'aiguille du Midi ?

Silence.

— À Sallanches ? À Martigny ?

Quelques mains se lèvent.

— Vous voyez !

— Moi je suis allé à Lyon visiter ma cousine.

— Et pourquoi tu es venu ? demande le garçon qui sert la messe.

— J'ai de l'asthme.

Asthme, gris presque transparent. L'asthme n'est pas tout à fait un mensonge. Émile ne réagit toujours pas, il suce son index, il a les lèvres bleues, ça fait pouffer Moinette.

— C'est quoi l'asthme ?

— Une maladie qui t'empêche de respirer.

— Tu peux mourir ?

— La montagne aide à guérir, coupe le maître. L'air y est meilleur qu'en ville.

Le maître reprend sa liste d'appel et son crayon.

— Donc : Vincent Dorselles… entre Solange Burnet et Abel Dunand. Bien.

Le maître efface le tableau, écrit "L'électricité". Émile continue de frotter son doigt. Vincent glisse l'almanach dans son cartable. C'est fini, il est adoubé. Ses mains cessent de trembler. Alors enfin il promène ses yeux sur le décor, laisse les visions fantastiques le kidnapper. Les noms d'objets entrent dans sa rétine, tonnent dans ses tympans, et aussi les mots prononcés par le maître, fil, ampoule, énergie, circuit, Thomas Edison, un concert polychrome éclate dans son cerveau tandis qu'il copie la leçon. À un moment, le regard arrêté sur sa montagne coupée par un battant de fenêtre, il se souvient des peintures de Kandinsky. Peut-être que comme lui Kandinsky voit des couleurs dans les sons. Vincent ferme les yeux, se répète à s'étourdir les syllabes du mot montagne, l'en défait de son sens, de son image connue, le change en son pur : et alors c'est doré. Vincent est vert, montagne est doré.

À la récréation les élèves se précipitent sur la pente face à l'école, chaussent leurs skis. Deux filles restent jouer dans la cour, des du Mollard, dit le maître, entre chez elles et l'école il n'y a pas de pente, elles préfèrent le ski de fond. Les silhouettes filent en face, flèches rapides qui se croisent et tracent des diagonales dans le blanc. Les cris fusent, clairs, joyeux, les bras s'écartent, l'air s'engouffre par les bouches grandes ouvertes. Vincent voudrait en être. Le maître lui indique un groupe de chamois dans une anfractuosité de roche. Il lui prête une paire de jumelles et Vincent découvre quatre bêtes à la robe charbon, à cornes fines, aux pattes tracées au pinceau, un V noir tatoué sur la gueule ; s'il se concentre chamois sonne roux. Les jumelles vissées au visage il tourne légèrement la tête, alors la forêt glisse dans les lentilles. La forêt vert foncé de son prénom dilatée par l'effet de loupe, il pourrait démêler de ses doigts les grosses touffes d'aiguilles. À la récréation suivante il monte vers les sapins. Il n'est jamais entré dans une forêt. Il s'y engouffre avec lenteur, courbant tour à tour les épaules, la nuque, pivote et lève les bras pour présenter son profil mince dans l'intervalle entre les branches, il ne veut pas déranger le paysage, son ordonnancement parfait. Il y a plus de neige que d'aiguilles si bien que les branches pendent, quasi verticales, en ailes repliées. Il avance entre les troncs, il écoute. La densité de feuillage et de neige est telle qu'elle absorbe les cris d'enfants, et il n'y a pas de ciel. Çà et là un paquet de neige s'écroule, se disperse en poudre. Puis le silence revient, occupe l'espace, épais comme une laine.

— T'as jamais vu de forêt ?

Moinette est derrière lui. Vincent aurait voulu que ça dure, cette solitude magique à l'intérieur de son prénom. Le maître arrive à son tour. Il dit que les bêtes se réfugient sous les sapins pour fuir la tempête, les branches alourdies se referment autour d'elles, les soustraient aux rafales. Vincent se figure un dôme traversé de lumière par-dessus les chamois, un igloo de verdure et de neige tandis qu'à l'extérieur le vent cingle et pétrifie. Soudain il songe : et si le froid soudait les branches ? Et si les branches devenaient une cage de froid impossible à franchir ? On retrouverait les bêtes mortes à la fonte des glaces. Il se tourne vers le maître :

— Est-ce que les animaux peuvent rester prisonniers ?

— Comment ça…

— Geler sur place ?

Un abri en forme de piège.

Le maître sourit :

— La forêt protège, le plus souvent.

La forêt tient la guerre à distance. Vincent habite ce vert, son prénom en rempart. Ici ni sirènes, ni affiches menaçantes frappées en caractères gras, Bekanntmachung, Jüdisches Geschäft, ni recensement, ni bruits de bottes, ni chiens. Les fusils sont des bouts de bois dans la cour de l'école, les soldats rigolent, une mandoline à la ceinture et une plume au chapeau. On chante *Maréchal, nous voilà !* dans la cour face au drapeau deux fois par semaine comme on présente au maître avant d'entrer en classe ses mains propres et ses ongles brossés. Il y a bien un portrait de Pétain dans la classe, mais une affiche de skieur fendant la poudreuse l'écrase de toute sa hauteur. Il n'y a pas d'étoiles jaunes, pas de place pour le doute. À cause du doute, l'été dernier, Vadim a volé une étoile. Les cousins du côté de sa mère portaient l'étoile bien qu'ils aient su que des trains emmenaient des gens comme eux, et ils pensaient que les Pavlevitch auraient dû la porter eux aussi. Pour continuer à jouer aux billes avec leur fils Paul, Vadim avait dû migrer du parc interdit aux Juifs vers la rue. Et il s'était demandé ce que ça faisait, être Paul. Un jour il avait vu une étoile pas cousue traîner sur la table, et sur le trajet du retour, ni vu ni connu il l'avait épinglée au revers de sa veste. Juste cinq minutes, il s'était dit. Il n'avait pas cessé de fixer ses chaussures. Paul ne baissait jamais les yeux, lui. Vadim avait honte, honte d'avoir honte. Il écrasait les feuilles, shootait dans les cailloux. Un homme l'avait bousculé sans s'excuser, si c'était à cause de l'étoile ? Il avait entendu de l'allemand et il avait frémi, pupilles rivées aux flaques et aux mégots de cigarettes, tremblé comme quelqu'un qui a quelque chose à se reprocher. Il cherchait l'air, l'asthme crépitait sous ses côtes. Il avait arraché l'étoile, il ne voulait pas être juif, même cinq minutes.

Elle l'a décidé dès le matin : aujourd'hui tu skies. Il ne pense plus qu'à ça. La journée est longue depuis l'index de Blanche posé en promesse sur les spatules en frêne accrochées dans l'entrée :
— Tout à l'heure…
Ils partaient à la messe, Louis avait enroulé ses moustaches autour d'un long clou chauffé sur le fourneau, ils avaient sorti d'une armoire spéciale un manteau doublé de mouton, des vestes, des chemises pendues raides sur cintres, une jupe et un chapeau piqué

de fleurs sèches, des chaussures de ville. Ils étaient tous les quatre descendus à travers la neige, laissant Albert derrière eux, et ceux des autres hameaux convergeaient en faisceau vers le Clos. Il y avait eu deux messes, celle du matin et celle des vêpres, puis deux heures de catéchisme qui heureusement avaient tourné en bataille de neige. Vincent promenait ses yeux sur le décorum, dorures, flammes, bouquets en tissu, ampoules du lustre, tableaux de saints qu'il ne pouvait nommer. Il se perdait dans les mots, les formules, les personnages aux prénoms étranges, pas assidu aux offices en dépit des vœux de son grand-père maternel, et si sa mère, son frère et lui avaient fréquenté l'église des Batignolles ces derniers mois c'était seulement pour donner le change. Depuis des heures il pensait au ski. L'abbé Payot parlait une langue étrangère, aux oreilles de Vincent les récits bibliques sonnaient aussi exotiques que les légendes russes quelquefois évoquées par son père, dans sa demi-torpeur et les odeurs d'encens le Christ voisinait avec le tsar, les princesses et princes de Sibérie, Baba Yaga et Belzébuth. Il bâillait à l'intérieur de sa bouche. Il se concentrait sur les particules de poussière suspendues dans un rayon oblique. Un rayon de soleil, le soleil qui dehors allume la neige, la neige que fendront les skis tout à l'heure, il y revenait sans cesse. Il n'est pas familier du cérémonial, heureusement il était assis du côté des filles car les bancs des garçons étaient pleins, et Moinette lui donnait des coups de coude pour qu'il se lève, se rassoie, s'agenouille, il lui obéissait en marionnette, ça lui plaisait même s'il la décontenançait, ce garçon ignorant de tout. Lui, il enviait les hommes qui attendaient en fumant sur le parvis. Il enviait Albert dont la patte folle excusait tout et qui, depuis l'aube, veillait là-haut sur la cuisson d'un gâteau de pommes de terre et de poires enveloppé de lard. Alors il s'est offert un spectacle silencieux, à lui seul visible. Il a fait comme en classe tourner les mots flous et les mots inconnus prononcés par le prêtre, agneau de Dieu, apôtre, Kyrie eleison, défait de leur signification les plus ordinaires à force de redite, chandelier chandelier chandelier chandelier, église église église église, les a changés en sons jusqu'à ce qu'ils forment des taches colorées, des pigments éclatés sur les murs, contre l'autel, éclaboussant les chapeaux et les manteaux austères, le visage de l'abbé, la robe des enfants de chœur, la jupe de Blanche et la chorale, son corps se soumettait aux injonctions de Moinette, sa tête orchestrait un festival. Et puis il a croisé le regard de Blanche de l'autre côté de la travée et les taches se sont évanouies. D'un geste discret, elle renouvelait sa promesse : les doigts serrés de sa main glissaient contre sa jupe comme une spatule sur la pente.

Ils sont devant le talus maintenant, en face de la maison, débarrassés des vêtements du dimanche, les deux paires de skis allongées dans la neige. Blanche est accroupie devant Vincent, il voit ses longs doigts lacer les lanières autour de ses chaussures. Elle se recule.

— Plie les genoux.

Il plie.

— Appuie un peu sur l'avant de tes chaussures.

Vincent se sent glisser, enfonce ses bâtons. Blanche lace ses propres lanières, se redresse. Elle dit ce sont les cuisses qui travaillent. Si tu te penches trop en avant, tu tombes. Si tu t'assois, comme ça, les fesses en arrière, tu tombes aussi – et le *ômebeux* de "tombe" dans sa bouche figure plus un rebond qu'une chute, on dirait qu'elle vient de mordre dans une prune. Il est pris dans cette langue élastique, enveloppante. Elle dit que garder les skis parallèles permet d'aller plus vite, les pointer en triangle de freiner et de s'arrêter. Il soulève ses spatules, essaie un triangle, mais les talons s'écartent inexorablement.

— Doucement, tu vas finir en grand écart !

Si tu n'y arrives pas, elle dit, vrillant son buste au-dessus de ses hanches, tu fais pivoter tes épaules vers la gauche, les spatules vont suivre, perpendiculaires à la pente, tu vas finir par t'arrêter. Il ne comprend rien. Ou plutôt, les mots flottent autour de lui sans consistance, il ne parvient pas à traduire les consignes en mouvements. Les silhouettes sur la pente en face de l'école semblaient si sûres d'elles, mues par l'instinct et le pur plaisir comme si la montagne les avait façonnées, naître en pays de neige modèlerait le corps de la même façon que l'eau te fait poisson. Ce que veut Vincent c'est être météore, fusée. Blanche éclate de rire.

— Prends de l'élan, bande tes cuisses, ouvre les yeux, au pire tu te laisses tomber !

Ça, il comprend. Elle pousse fort sur les bâtons, avance dans la pente. Pousse encore, ses mollets fendent la neige en traces minces, sa jupe claque dans le vent. Au premier replat elle écarte ses skis en triangle, ralentit, tourne ses spatules vers l'amont. À toi ! Elle n'est pas née ici, n'a pas un corps fait exprès, elle descend quand même. Alors il lui fait confiance, il pousse sur ses bâtons. Au bord du talus, il bascule son poids de ses talons à ses pointes et la pente l'entraîne. La neige est plus haute qu'en face de l'école, il pousse, il veut foncer, freiner et s'arrêter c'est dans mille ans, il est tout entier dans l'instant. Ça y est, la gravité le leste, le poids plume file à travers le champ. Il dépasse Blanche sur le replat, s'imagine son sillage imprimé dans l'air en traits fins et serrés façon personnage de bande dessinée. Blanche crie arrête-toi mais il a oublié comment faire. De toute façon il ne veut pas, il a l'impression que la montagne vient à lui, il sait qu'il y a la route, la rivière avant le massif mais l'illusion est formidable. Quand les toits du Mollard se rapprochent il pense à un tremplin géant, de quoi décoller par-dessus la vallée. Finalement ses jambes flageolent, il ordonne : écroule-toi. Il s'écroule, les skis passent par-dessus sa tête, la neige molle entre dans son col, dans sa bouche, une chute indolore. Renversé sur le dos, bras écartés, découpé dans le blanc à l'emporte-pièce, Vincent fixe le ciel. Blanche l'appelle d'une voix inquiète. Il écoute son cœur fou, son sang pulse dans ses rétines, là-haut le ciel se contracte comme un muscle. Un rapace piaule toutes ailes déployées. Il ne veut pas que ça cesse. Il veut le refaire. Ce n'est pas raisonnable, si sa mère savait. Il ne veut pas être raisonnable. Il se redresse, se met debout, secoue la neige. Blanche ouvre une trace neuve dans le champ et se coule jusqu'à lui.

— Alors ? elle demande.

— J'adore.

Elle sourit, radieuse, on dirait que le champ est son œuvre, son œuvre le vent qui a poussé dans le dos du garçon, et qu'elle-même a précipité vers lui le massif et basculé le ciel. Ils remontent vers le talus, les spatules en travers de la pente, ils taillent des paliers dans la neige.

— Ça se mérite, hein ? À Chamonix, il y a des téléskis qui te remontent en haut des pistes… Mais on dame, l'air de rien, et on glissera plus vite. Je vais quand même te montrer le triangle, c'est plus chic que les cabrioles.

Une fois sur le talus elle écarte les skis, prend les siens en étau et se colle doucement à lui. Ils emboîtent leurs spatules. Ils vont traverser la pente dans sa largeur, à petite vitesse. Il sent ses mains fermées sur sa taille, son ventre contre son dos, un léger renflement. Elle pousse sur les bâtons, ils tracent un lent sillon dans la neige. Maintenant appuie fort sur les skis elle dit, vers l'intérieur, voilà, et elle presse en écho les hanches du garçon. Ils tombent évidemment, recommencent, couturent le champ de longs zigzags tandis que la lumière jaunit du côté de Bérard. Dix fois ils remontent, des ruisseaux de sueur imprègnent leurs chemises, ils grelottent. Vincent n'est pas doué pour s'arrêter, c'est sûr, mais peut-être aussi ne fait-il pas d'effort, pour le plaisir de s'affaler contre Blanche. Il sent sa sueur légère sous la laine et le savon noir. Éprouve le moelleux de son ventre, de sa poitrine quand ils chutent.

Quand la nuit vient il faut bien rentrer. Sur le talus, Moinette observe, Éloi tire sur sa pipe. Il a regardé Vincent rire, s'effondrer, jamais lassé, à cet âge de l'ignorance et des commencements sans fin. Bien sûr, il a oublié sa première descente.

— Je te préviens, dit Moinette, tu es trop grand, je ne pourrai pas t'aider comme Blanche, moi, demain.

— Quoi, demain ?

— Pour aller à l'école !

Ils font sécher les skis devant le fourneau. Albert va les farter à la cire d'abeille – farté, son gris et brillant – ils glisseront mieux.

Le soir, les courbatures révèlent à Vincent des muscles insoupçonnés aux épaules, aux cuisses, aux mollets, que le baume d'arnica ne dissipe pas encore. Dans son lit il les touche, les avive avec délice, découvre le corps que lui esquisse la montagne. C'est ce corps fourbu qui envoie, de loin, un baiser au médaillon de cuir où demeurent ses parents et son frère.

Il progresse. Il différencie sans effort les tintements des cloches des vaches, l'une grave, mate, l'autre plus aiguë et vibrante. Il a repéré les sons qui percent le silence, la nuit, il les guette désormais depuis son lit, l'hiver a aiguisé ses sens : craquements du toit, cri d'oiseau, pattes de souris. Il ne s'étonne plus des sourires de Blanche à l'écoute de Radio Sottens, la radio suisse romande, les descriptions de l'animateur suspendent ses travaux d'aiguille et elle prend à témoin le garçon : tu entends ? des yeux *comme des lampes à souder* ! un crâne *lisse comme une poire beurrée* ! Il espère la brique chaude le soir sous ses couvertures. Il connaît l'odeur de la neige, du bois tendre, du bois brûlé, de la laine mouillée, l'odeur d'animal lui est devenue familière. Il se fait aux goûts, aux textures. La saumure où baigne le chou. Le rance du beurre de baratte. L'acide des orcettes, une sorte de myrtille. L'élastique des viandes tirées du saloir. Les mêmes images repassent devant ses yeux, il s'y accoutume. La montagne, évidemment, son poulpe, sa forteresse, son palais, son île haute. La soutane de l'abbé filant à skis tel un grand oiseau noir. Le contraste violent entre l'envers ombreux et couvert de forêt et le versant droit inondé de soleil où se niche leur hameau, leur Côte d'Azur dit Albert, leur petit Nice, et chaque matin Vincent s'attend à cette géniale discordance visuelle. Il s'habitue aux sensations. La plus douce : sous ses pouces, la surface lisse du bois séché quatre ans, poncé dans l'atelier d'Albert, sapin, mélèze, scié au-dessus de l'église hors des couloirs d'avalanches, préservé des pierres qui éprouvent les troncs. Il prend sa part des rituels. Il change seul la litière d'aiguilles et de feuilles des bêtes. Balance un peu de foin depuis la trappe du grenier, le foin tombe en pluie sur les cornes des vaches qu'il faut décoiffer. Il les brosse, même, hésitant, le bras tendu, à distance de l'animal dont la masse l'intimide, sa peau chaude, et tremblante, et tellement vivante, plus vivante que la bête. Il redessine pour Moinette le monde qu'elle sait par cœur, c'est pourquoi elle le suit comme une ombre : il est son aventure.

Certaines routines mettent en miroir Blanche et Sophie, Paris et la vallée des Ours. Ici et là-bas il aide à tourner le linge dans la lessiveuse. Ici on le rince au bassin même à vingt sous zéro, là-bas dans un bac d'eau chaude mais toujours on l'étend sur le fil. Là-bas on le retire sec, ici on le rentre avant que le froid casse la fibre du tissu mais ce sont des gestes identiques pour le décrocher, le plier l'un face à l'autre, le repasser au lourd fer de fonte, c'est Vincent qui le remplit de charbon. Ici et là-bas il aide à peler les pommes de terre, à mettre et débarrasser la table. Il récite ses leçons à Blanche comme il les récite à sa mère, elles ne laissent pas la moindre faute passer. Les deux femmes nouent un même chignon sur leur nuque, elles embrassent toutes deux le front du garçon au coucher, seule la molle bouche de Blanche fait vibrer un rucher dans son ventre. Ainsi l'ancien monde s'invite dans le nouveau.

Mais les surprises en salve l'empêchent de s'installer. À l'école, pour la première fois, Vincent relève la quantité de neige dans un pluviomètre. Pour la première fois il observe des flocons à la loupe, toutes les branches jusqu'à la plus petite forment des angles à 60 degrés. Pour la première fois il apprend à faire des virages à skis, c'est le maître qui lui montre, et même il réussit à traverser le champ avec un œuf dans une cuillère, à descendre la tranchée en zigzags, à passer à skis au travers d'un pneu suspendu. À la coop où Blanche l'envoie, il tend pour la première fois les tickets de la mémé morte, la femme de Louis, on ne déclare pas les morts tant que dure le rationnement a décidé le maire. Un jour il mange une grive, on lui en écrase le foie sur une tranche de pain. Une nuit de pleine lune, il guette le renard avec Louis dans le grenier, le fusil passé à travers le carreau, les gendarmes et les Italiens sont trop loin pour l'entendre tirer. Il n'a jamais vu de renard. Le renard a une fourrure épaisse, rousse, le bout des pattes noir, les oreilles blanches à l'intérieur. La flaque de sang où il baigne impressionne Vincent, c'est son premier renard et c'est un renard tué. Louis l'écorche, tend sa peau sur une planche pour en faire une toque. Une fois il s'essaie dégoûté à la traite, le moelleux et le tiède des pis de vache s'écrasent dans sa paume pareils à des sexes. Pour la première fois, il voit des vaches en procession qu'on mène au taureau par une tranchée profonde que la cousse rebouche. Une fois, il voit une courte avalanche depuis le chef-lieu, en face sur l'envers, une corniche casse, une coulée fulgurante et poudreuse dévale le couloir jusqu'à la rivière et se disperse en aérosol géant. La bruine mouille son visage. Sa peur est indolore. Nulle intention de nuire dans l'avalanche qui détruit et tue. Elle n'est pas ennemie. Il n'a plus d'ennemi.

C'est sa première escapade sans Moinette. Et ce jour où il dépose le fumier dans un champ tout en haut du hameau, un champ qu'il n'avait pas foulé encore, Vincent rencontre Martin. Il a entendu parler de Martin, il tresse les plus belles hottes, il a des yeux au bout des doigts. Il est sur le retour quand l'aveugle le hèle, assis sur un banc devant sa maison. Il a identifié l'allure singulière du garçon, il dit toi tu t'arrêtes, tu observes, tu écoutes, tu n'es pas habitué, on ne peut pas se tromper, il suffit d'entendre tes pauses et tes silences. C'est vrai, il n'a pas la marche efficace, le paysage le happe, tout déplacement est une exploration. Albert avait dit depuis le champ là-haut tu verras le mont Blanc comme nulle part ailleurs à Vallorcine. C'était un but plus excitant que le champ, voir le mont Blanc sous cet angle singulier. En effet il a surgi au loin, de l'autre côté du col, rapetissé par la masse de sa montagne à lui au premier plan, d'une blancheur complète et couronné d'une brume d'argent. Vincent l'a longtemps regardé se couvrir et réapparaître et changer de forme. Dans la descente, Martin l'a su à l'oreille, il s'est retourné plusieurs fois pour le voir rétrécir. Son regard a changé. Au début, le blanc lui suffisait. C'était si nouveau, cette texture aux métamorphoses constantes, tour à tour dure, molle, craquante, poudreuse, feutrée, lourde, légère, compacte, aérée, tendue, bosselée, mouvante et rampante et volatile dans l'avalanche, inerte au fond de la vallée, qui piégeait la lumière et la réfléchissait, accueillant toutes les nuances, bleue la nuit, diamantine ou mate le jour selon l'épaisseur des nuages, rose au coucher du soleil, grise dans l'ombre de l'envers et parfois translucide, quelle bizarrerie qu'un mot unique couvre un tel éventail d'images. Il contemplait la neige, épiait ses variations en claquant des dents devant la maison, Blanche le forçait à rentrer. La contemplait encore à travers la fenêtre du pèle qui est la pièce commune, la fenêtre de sa chambre, seul le sommeil pouvait la lui soustraire. Maintenant il l'interroge. L'hiver paraît invincible, il dure au moins six mois, il l'a retenu, mais au-delà, donc, il cesse, et un printemps arrive. Il se demande quand fondra la neige. Quelles neiges résistent, quelles neiges s'effacent. Où sont les neiges éternelles. Il se demande ce que la neige dissimule, à quoi ressemble le paysage une fois la neige fondue. Si la vallée ne va pas disparaître tant la neige semble la matière même de toutes choses. Il se rappelle que le blanc contient le spectre des couleurs, à Paris il a fabriqué un disque de Newton arc-en-ciel et il l'a fait tourner autour de la pointe d'un compas jusqu'à ne plus voir qu'un blanc terne. Mais quand le blanc se décompose, quelles couleurs apparaissent ? Planté devant la montagne Vincent tente de soulever de l'œil un pan de blanc comme on lève un coin de voile.

Martin a un chien. C'est le seul chien de la vallée. Un chien muet, il ne s'annonce jamais, tu le trouves brusquement devant toi. Un jour, Vincent regarde le chien fouiller la neige de la truffe et des pattes. Il espère quelque chose, peut-être, de cette bataille avec le blanc. Le chien s'enfonce, projette des gerbes de neige immenses, mais ne dégage rien que de la neige sous la neige. Apercevant Vincent, il trottine vers lui, se couche à ses pieds, haletant, langue pendante, il semble s'excuser de n'avoir rien trouvé. Vincent ne sait pas quoi faire de cette gueule muette tendue vers lui. Qu'est-ce que tu veux ? il dit, aussi perplexe devant le chien que devant le blanc. Les grands yeux bleus l'observent. Qu'est-ce qu'il y a ? Alors surgissent les yeux bleus de son père. Il revoit le policier au milieu de la cour, qui articule les syllabes de son nom en les détachant exagérément, JO-SEPH-PAV-LE-VITCH, et Joseph qui lui répond en borborygmes sourds. Depuis la fenêtre de l'appartement deux étages plus haut, Vadim pétrifié regarde le visage de son père où le policier lit l'incompréhension, l'idiotie peut-être : son père a avalé sa langue pour mieux les duper. Il bricolait une table dehors, ne les avait pas vus arriver. Quand ils avaient demandé si Joseph Pavlevitch vivait ici il avait secoué la tête. Ils avaient insisté, PAV-LE-VITCH répétait l'homme comme s'il pouvait enfoncer le son dans ces tympans bouchés. Joseph s'était mis à gesticuler, ouvrant et refermant les doigts devant sa bouche avec des bruits de gorge. Vincent avait envie de rire, le tour qu'il leur jouait, quand même, son père, qu'est-ce qu'il était malin à murer son accent dans la bouche d'un sourd-muet, à faire l'imbécile pour qu'ils se découragent. Mais ce clown jouait sa vie. Le lendemain de cette pantomime, son père avait pris la fuite.

Vincent n'ose pas toucher le chien.

— Comment il s'appelle ?

— Whisky.

— Whisky ?

— C'est un touriste anglais qui me l'a laissé.

— Pourquoi il est muet ?

— Aucune idée !

Vincent ne peut s'empêcher de se demander quel secret ce chien tait.

Parfois Martin invite Vincent à s'asseoir près de lui. Ça caille, sous la neige fine. Vincent épie ces pupilles laiteuses, deux trous clairs dans un jeune visage, il a quoi, vingt-cinq ans ? Des pupilles d'hiver. À cause des silences du chien et de l'hiver, du manteau implacable de neige, de la cataracte qui nimbe les yeux de Martin, il sait que l'effleurent des mondes invisibles. Tout d'un coup il voudrait bien savoir où est son père.

— C'est laquelle, ta montagne préférée ? l'interroge Martin.

— Les aiguilles Rouges.

— Pourquoi ?

— C'est la première que j'ai vue.

— Moi j'aime les Posettes.

— Tu sais à quoi ça ressemble ?

— C'est de là que monte le soleil.

— Tu vois le soleil ?

Il sent sa chaleur. L'hiver le soleil n'est perceptible que derrière une vitre, il ne reconnaît la nuit qu'à la densité du silence et au hululement de la chouette, le jour au chant du pic noir, du casse-noix, des mésanges. À partir de mars, il dit, le soleil s'élève à la verticale des massifs, une course en ellipse au-delà des aiguilles Rouges, et il ne disparaît qu'au soir. Vincent pense aux rayons qui atteignent la classe, depuis quelques jours, tiédissent son bras droit juste avant la récré, mars arrive. C'est au-dessus des Posettes, là, à gauche que le jour se lève, dit Martin en tendant le bras. Aux beaux jours le soleil chauffe, c'est facile de repérer l'aube, midi, la nuit. Il coule en lame tiède sur sa joue gauche, son épaule gauche, son flanc gauche, atteint son front, toute sa figure, sa poitrine, ses côtes, ce point-là au centre du squelette, on l'appelle bien plexus solaire ? et c'est l'après-midi. Mais l'hiver la lumière est froide, la course du soleil n'est qu'un souvenir. Il préfère les Posettes quand même. Martin ne verra jamais la montagne, pense Vincent. Il est dans le blanc définitif. Il en sait moins que le garçon sur le paysage auquel il fait pourtant face depuis sa naissance, ignore la ligne des cimes, des crêtes dessinées contre le ciel, tous les visages de la neige. À part la chaleur du soleil, il ne sait rien du printemps.

— À quoi tu penses ?

— À comment c'est quand la neige fond. Mais toi tu ne vois même pas la neige.

Martin fourrage les poils du chien.

— En ce moment, les aiguilles Rouges sont couvertes de neige avec des pans de forêt qui font des traînées sombres. Vues d'ici, elles ont une base asymétrique et un sommet raboté penché vers le col, comme s'il s'effondrait.

Vincent est scié.

— Les Posettes sont tapissées de sapins aux feuilles persistantes et de mélèzes nus. Les Aiguilles ressemblent à des doigts ou plutôt à des moignons de pierre. Quand il fait beau, on voit miroiter les glaciers, au fond, derrière les aiguilles Rouges. Le soleil se couche dans le vallon de Bérard en dégradés de roses par beau temps, sinon un halo mat grise dans le col au crépuscule. La neige est partout, le blanc domine, quels que soient les blancs.

Martin rigole.

— J'ai tout appris par cœur. Comme une leçon.

Vincent n'en revient pas.

— J'écoute ce que disent ma mère, mon père, ce que me répètent les gens depuis l'enfance, les descriptions des romans, des journaux, j'ai une énorme mémoire des mots. Je peux te faire visiter la chapelle Sixtine, au Vatican, je n'y ai pas mis les pieds, tout est dans le *Guide bleu* que m'a lu cent fois ma sœur, la pauvre, même la description des fresques. Ce que je sais des couleurs : les troncs sont marron ou blancs, les feuilles vertes, le toit de l'église est noir. La couleur de l'eau varie selon la lumière, sa profondeur et ce qui tapisse le fond, bleue, ou verte, ou brune selon la teinte du sable ou des pierres ou des algues ou des boues mais quand tu y plonges la main elle devient transparente. J'ai juste ?

— Et le poil de Whisky ?

— Noir et blanc.

— Et ta veste ?

— Vert foncé.

— Les pommes de terre ?

— Jaunes. La neige est blanche, le ciel aussi quand il fait mauvais temps, il peut virer au gris en cas de pluie, violet dans l'orage. Les marmottes sont… comment déjà ?

— J'ai jamais vu de marmottes.

— Le renard est roux ou noir.

— Louis en a tué l'autre jour.

— La viande de bœuf est rouge, le sang est rouge, les braises sont rouges.

— Et les framboises.

— Mais tout ça m'est égal. Ce qui m'importe c'est que la framboise a un goût de framboise, une texture de framboise, des grains de framboises qui craquent sous les dents. Rouge, c'est un son, ça n'a pas de sens.

Est-ce qu'une robe est encore rouge quand on cesse de la regarder ? se demande Goethe dans le *Traité des couleurs*. Rouge pour Martin c'est comme juif pour les Pavlevitch, un mot arbitraire.

— Mais j'ai mes ruses pour voir…

Il connaît les formes à petite échelle. Il sait ce qu'est un triangle, cette pierre par exemple qu'il sort de sa poche, une diagonale, une sphère, il a touché des milliers d'objets figurant le monde en modèle réduit, il les dilate dans sa tête, ça lui donne une idée du décor. Et puis ses pieds savent ce qu'est un dénivelé, il en a grimpé des pentes, ici, avec son chien, il connaît la nature des sols et des cailloux. Les altitudes sont difficiles à se représenter alors il compare. La hauteur du mont Blanc par exemple correspond au nombre de pas d'un bout à l'autre de la vallée. Surtout, Martin collectionne les bruits, les odeurs, les goûts, les sensations, il en a tout un catalogue, il les agrège, en déduit le paysage. L'hiver, à cause de la neige, du silence, de l'immobilité de tout, c'est plus compliqué. À Paris, se dit Vincent, ce serait différent.

— Tu comprends ?

— Je crois.

Le paysage est une enquête.

— Alors même sans les couleurs, tu connais le printemps ?

— Oui.

— Et c'est comment ?

— Tu ne veux pas une leçon quand même ? Pas toi, qui ne fais pas cinq pas sans lever la tête ! Observe, imagine. Après ce sera trop tard, tu seras prisonnier de tes yeux.

Chiche qu'il peut inventer le printemps. Rêver l'invisible. Quelque part dans le volume où il a découvert les tableaux de Kandinsky, il l'ignore, il est écrit que le blanc sonne comme un silence, un rien avant tout commencement.

Il neige, continûment. Tellement qu'on ne distingue plus de vallée, de versants, de montagne. La maison est une île, une forme solide et stable érigée au milieu du blanc. Depuis des jours il neige, un écran mat brouillé de cousse tient lieu de paysage. La nuit, la lumière filtre au-dehors par les interstices de tissu et trace des diagonales drues à travers l'air blanc, on dirait les rayons obliques, surnaturels, qui fendent les gravures de Gustave Doré. Il neige le jour, il neige la nuit. Entre le matin et le soir, Éloi pelle quatre fois pour dégager devant la porte le passage qui ne cesse de se refermer. Seuls ses han et les coups de pelle fendent le silence ouaté. On entend parfois en échos des voix d'hommes, des voix sans corps car les corps sont gommés par la cousse, seuls les coups de pelles suggèrent des bras quelque part, des jambes bien campées, des dos ployés par l'effort, c'est le père de Moinette peut-être, un de ses frères, ou bien d'autres qui pellent aussi. Depuis les fenêtres de la pièce commune Vincent regarde la neige tomber, écoute les hommes lutter contre l'ensevelissement. Au Sizeray, une coulée a cerné des maisons si haut qu'on sort par l'étage, c'est Abel Dunand qui l'a dit à Vincent ce matin à la messe : je suis parti par la fenêtre de ma chambre… Il n'y aura pas de vêpres, a décidé l'abbé Payot, c'est trop dangereux de revenir au Clos. La remontée vers le hameau où le farçon achevait de cuire serait la dernière trempée de la journée. Il n'y aurait pas de batailles de neige, pas de ski sur l'envers, pas de sauts depuis le haut de la tourne dans deux mètres de poudreuse. Moinette marmonnait en décrochant les glaçons agrippés à ses bas, je veux des pantalons le dimanche aussi, j'en ai marre des robes.

La chute des flocons, leur perpétuelle virevolte hypnotisent Vincent. Ça vibre, derrière la vitre. Il ne s'en éloigne que pour remplir au bassin le seau des vaches et pour aller pisser à la cabane. Il se dit par moments que l'écurie pourrait faire un WC acceptable. Il se demande comment le ciel constitue pareilles réserves de neige. Quel océan s'évapore pour former des nuages aussi denses, sans cesse renouvelés, à quel pays la cousse retire son eau pour la stocker ici, la faire tomber et retomber des jours durant. Et puis, à quoi sert un tel excès de neige ? Blanche ne sait pas vraiment, tiens, épluche les patates avec moi. Il y a bien une raison. Louis prétend que ça protège l'herbe et ça fait du bon foin. Vincent pense au grand répit des végétaux l'hiver. Il sait aussi que la marmotte doit hiberner. C'est quand même dommage tant de neige ici, il dit, puisqu'il y a des déserts qui ont besoin d'eau. Et Blanche sourit avec ses yeux qui te tiennent les tempes. En vérité, il est d'accord pour les déserts si cette neige fabuleuse en dépend. Plus les jours avancent, plus la couche est épaisse, plus s'enfonce le sol en dessous, et toutes les plantes, et toutes les bêtes tapies et les fantasmes gonflent de ce qui pourrait surgir à la belle saison.

C'est ce dimanche-là que Vincent retire de sa valise la pochette de crayons de couleur et le papier à dessin offerts par son voisin de Paris. Il n'a jamais dessiné en couleurs. Il n'a pas dessiné une fois depuis son arrivée, ravi par le dehors et la plus grande échelle. Il s'installe devant la fenêtre sous la lumière grise. Il fixe derrière ses paupières sa montagne disparue. Il trace de mémoire son drôle de contour, ses renflements, ses pics, ses pointes, son sommet tout penché, un fantôme de montagne. Il se rappelle les mots d'Éloi, la mer avant le blanc et les reliefs. Il dessine la montagne avant la montagne, des poissons de toutes les couleurs en travers des versants, des corps renflés avec écailles, des serpents d'eau, des étoiles de mer, des sirènes. Des poulpes, des mollusques, des coquilles à peine entrouvertes peut-être nourris par de vagues souvenirs du bestiaire de Jules Verne, des bélemnites tels qu'Éloi a décrit les fossiles trouvés dans les Aiguilles, bestioles en balles de fusil avec des tentacules qui fourmillent sous la bouche. Un dinosaure – tyrannosaure il décide. Au pied de la montagne il place des mélèzes. Il pense larze et non mélèze, c'est ce qu'on dit ici : les larzes, il ne connaît pas d'autre mot. Rouges, les larzes. Pas à cause du son, larze est un mot jaune. Rouges à cause des tranches de bois présentées par Albert à l'atelier, les ancelles, sortes de tuiles taillées dans d'énormes rondins dont la teinte rosée contamine le son pur du mot. Ils ont des cernes bien serrés au cœur et d'autres plus larges aux pourtours, qui disent que l'arbre a longtemps été chétif puis a grossi d'un coup, Albert l'a expliqué, on ne peut pas connaître les raisons de cette croissance tardive, le climat, la nature du sol, les avalanches, et Vincent a pensé aux marques tracées sur le chambranle de la porte d'entrée, à Paris, pour mesurer leur croissance à son frère et à lui. Si on comptait les cernes il y en aurait sans doute pas loin de quatre cents, on pourrait les ôter un à un et retrouver le jeune arbre à l'intérieur. Quatre cents cernes, quatre cents ans. Quatre cents ans, c'est quoi ? Il calcule, le crayon dans la bouche. Treize fois l'âge de sa mère. Treize fois quarante ans. Treize femmes au-dessus de sa mère, un arbre généalogique colossal. Un énorme larze. Des larzes rouges poussent au bas de sa montagne, au fond de l'eau. Leurs branches de feu se mêlent à celles des voroces, que la langue commune nomme les aulnes mais les Vallorcins non, alors il pense voroce, il en a aperçu les troncs maigres dans la neige. Il en fait des algues bleues et souples pareilles à ces plantes marines qu'on appelle chondria dont les irisations turquoise chatoient dans les graviers, roches, cailloux du bas des estrans. Qu'est-ce que c'est ? demande Blanche penchée par-dessus son épaule, déroutée par le chaos de couleurs et de formes. Vallorcine, dit Vincent. Un fossile de Vallorcine. Et Blanche ne s'étonne pas, elle sait que Vallorcine n'existe pas, ni Paris, ni Marseille, ni n'importe quel lieu, ce qui existe c'est le regard.

Il n'est pas sûr de ce qu'il ressent. Il doit être heureux, il s'en persuade. On est heureux de recevoir une lettre de sa mère. Surtout quand on est séparés pour la première fois. Surtout si on ne sait pas pour combien de temps. Émile doit être heureux de recevoir des lettres d'Ivry. D'ailleurs, Blanche présente l'enveloppe à deux mains, comme un cadeau. Il ne veut pas sembler ingrat. Il est debout devant le poêle, son pantalon de laine fume de neige. Il pousse ses socques contre la paroi chaude, essuie ses mains humides à son pull pour ne pas tacher l'enveloppe. Il regarde les volutes sépia, Vincent Dorselles, chez Albert Ancey, la Villaz, Vallorcine.

— C'est où la Villaz ? il demande.

Blanche fait claquer sa langue.

— Mais, c'est ici ! On dit la *viyeux*.

C'est sa première lettre. Une fois, ils ont reçu une lettre de son père à Paris, mais celle-ci est seulement pour lui. Il déchiffre la date sur le tampon. Ça fait dix jours que la lettre est partie.

— Elle vient d'Argentière, dit fièrement Blanche, comme si elle était elle-même allée la chercher. Le facteur a fait l'aller-retour à pied par le tunnel, vu les avalanches. Ce matin, la trace était rien que pour toi. Le train est de nouveau bloqué. Depuis les hauteurs, on dirait un jouet oublié par un gosse un jour de froid, trois wagons immobiles au fond de la vallée, ensevelis sous des monceaux de neige. Maintenant la lettre est plus précieuse encore, elle oblige Vincent à davantage de joie. Il a la sensation que ce n'est pas lui qui tient l'enveloppe mais l'enveloppe qui le tient. Blanche lui tend un coupe-papier. Il déchire l'enveloppe, déplie lentement la lettre, la lettre se déploie en cape autour de lui. *Mon chéri*, il lit dans sa tête. *J'espère que tu es content. J'espère que tu manges bien, que tu dors bien, que tu respires mieux, que tu as de bonnes notes. Ton frère et moi allons bien, ton père aussi.* Son père ? Il a donné de ses nouvelles ou bien elle biaise, sa mère, elle prétend être

Mme Dorselles dont le mari n'a rien à craindre ? Il est question de pluie, de grisaille, le grand-père a fêté ses soixante-dix ans – ça c'est bien Papy Pierre, vu l'âge –, d'un hiver qui ne tient pas. Les phrases de Sophie nouent des guirlandes molles autour des épaules du garçon, de ses poignets. Il lui manque, elle écrit. Ces mots-là ne trichent pas, ce sont ceux de sa vraie mère. Plus il parcourt l'écriture bouclée plus il sent que lui-même s'arrondit. Ses épaules se relâchent. Sa nuque s'affaisse. *Est-ce qu'il y a beaucoup de neige ? Est-ce que les montagnes sont hautes ? Est-ce qu'il y a des sapins ?* Elle veut qu'il lui décrive, qu'il raconte, et toutes ses mains le pressent et le caressent terriblement à travers le papier. On ne se touche pas chez les Pavlevitch. Sauf la nuit à l'insu des regards, alors la mère observe son enfant, palpe son visage, l'apprend par cœur, elle a toujours des angoisses d'effacement. Souvent le garçon est éveillé mais par pudeur il fait semblant de dormir et elle pose l'oreille contre son thorax. Elle s'autorise les contacts pratiques : tester la fièvre au front, étaler le cataplasme sur la poitrine creuse, laver le dos, peigner les cheveux du garçon, brosser ses ongles. Et le baiser du soir. Il n'est pas dupe, la lettre est un stratagème pour enlacer son fils comme jamais elle ne se le permet. L'abbé Payot prétend qu'on ne peut rien cacher à Dieu, qu'il voit jusqu'au fond des âmes. Vincent a honte de ce que Dieu voit en lui si jamais Dieu existe. Il voudrait se laisser attendrir par la lettre moelleuse mais il résiste, sa mère c'est Paris, Paris c'est Vadim, quelquefois un regard en arrière peut te changer en pierre. Il replie la lettre. Blanche dit qu'elle postera sa réponse, s'il veut. Elle achètera une enveloppe et un timbre.

Il rêve de Sophie. Son visage tourne en toupie dans le ciel, elle est l'œil d'une tornade. Il voudrait rattraper son visage comme un ballon d'hélium, il tend le bras vers le fil entortillé au-dessus de sa tête mais soudain il hésite, il pourrait être emporté aussi. Pendant ce temps le visage de Sophie rétrécit, s'éloigne inexorablement. À un moment c'est trop tard, on ne voit plus qu'une tête d'épingle sous l'orage. Il n'a pas attrapé le fil. Il a renoncé. Il a laissé sa mère s'évanouir. Dans le rêve ses mains sont brûlées.

Il essaie d'écrire une lettre. Il ne sait pas quoi écrire. Il n'a qu'à répondre aux questions. Elle veut savoir s'il est content : *je suis content*. S'il mange bien : *je mange bien*, s'il dort bien : *je dors bien*, s'il respire mieux : *je respire mieux*. Il a des bonnes notes, oui. Et puis il reste là à fixer la feuille. Blanche suggère qu'il pourrait raconter ce qu'il a fait aujourd'hui. Il se penche : *j'ai skié jusqu'à l'école avec Moinette, j'ai mis la bûche dans le poêle, j'ai mangé de la soupe de patates, j'ai donné du foin aux vaches, j'ai appris ma poésie, j'ai mangé de la soupe et un œuf, j'ai fabriqué un peigne à myrtilles.* Et hier ? *J'ai skié jusqu'à l'école avec Moinette et Jules, j'ai dessiné une carte de France avec les noms des villes, j'ai skié à la récré, j'ai mangé des patates et de la tomme, j'ai aidé le maître à cirer les pupitres, j'ai un peu pellé avec Éloi, j'ai mangé de la soupe et de la viande, j'ai donné du foin aux vaches, j'ai lu Cœurs vaillants.* Et demain ? *Je vais porter le fumier, je vais voir Martin, je vais jouer avec Whisky, je vais aller à la messe, je vais manger le farçon, je vais aller aux vêpres, je vais aller au caté, je vais sauter de la tourne, je vais skier, je vais encore manger le farçon, je vais réciter ma leçon à Blanche.* Bon, ça suffit.

Sophie pose d'autres questions, seulement elles sont impossibles. Elle demande si les montagnes sont hautes. Si c'est beau. Comment il peut répondre à ça. Comment décrire la montagne. Dire cette énormité. Cette étrangeté radicale. Les premiers peintres des Alpes ont distordu le réel, exagéré les volumes et creusé les reliefs pour rendre compte du choc que leur avait causé la montagne, ainsi les fantastiques tableaux de Caspar Wolf. À Turner qui n'avait jamais quitté l'Angleterre et qui venait du *fog* il a fallu une débauche de lumière et de contrastes pour traduire son éblouissement. La langue aussi se dérobe devant pareil spectacle, Saussure, Victor Hugo, toute une cohorte d'écrivains s'est épuisée en métaphores, allégories, procédés lyriques et descriptions sans fin pour tenter de restituer leurs premières impressions. Vincent suce son crayon. Il faudrait des mots transparents, gelés, directement extraits de la montagne. Des mots qui n'ont jamais servi. Ou bien il faudrait être Martin l'aveugle, pour décrire la montagne à qui ne l'a jamais vue.

Il a une idée. Il trace la silhouette de l'île haute pareille à un électrocardiogramme. Et puis il sort face au soleil, appuie fort ses poings sur ses yeux, les rouvre brusquement. Il regarde danser contre la montagne les taches rouges et jaunes de son éblouissement. Il les reproduit sur le papier. Voilà, c'est sa réponse, la déchiffre qui peut : ici, il n'a pas de paupières.

Quelquefois, il va voir Martin et lui demande une liste de mots. Des mots de ce qu'il y a sous la neige quand elle fond. Une liste pour la forêt. Une liste pour la vallée. Une liste pour la montagne. Martin dit rhododendron, épilobe, egi, pissenlit, adénostyle. Ou povotte, cerisier, écureuil, sphaigne. Ou plateau, pierre à Bovi, gentiane, épervier. Des mots qui n'ont pas de sens pour Vincent, comme rouge n'a pas de sens pour Martin, purs sons, il les écoute. Il écrit les mots au bas d'une feuille. Il entend les couleurs vibrer dans les phonèmes, éclater dans sa tête. Il ignore s'ils désignent des fleurs, des plantes, des arbres, des animaux, des choses mobiles, marchantes ou volantes ou rampantes ou statiques, minuscules ou géantes, dressées, couchées, effrayantes ou belles, désirables, repoussantes, rares ou communes, il n'a pas d'images, il n'a aucun indice, il n'essaie pas de deviner. Il se concentre sur les sons, ils dictent sa palette, et il déshabille la montagne. Il dessine des oiseaux imaginaires qui portent des noms de fleurs. Des fleurs imaginaires qui portent des noms d'arbres. Des arbres imaginaires qui portent des noms d'oiseaux. Des oiseaux aux noms d'oiseaux, des fleurs aux noms de fleurs, des arbres aux noms d'arbres, il ignore quand ses intuitions sont justes, quand il se trompe. Il émet des hypothèses que le réel ne peut pas démentir.

— Quand tu parles, on dirait que tu chantes.
Moinette dit ça tout doucement, les yeux levés vers Vincent, sous la faible ampoule qui éclaire la cave. Ils sont debout parmi les bocaux, les énormes casiers à patates, les carottes couchées dans le sable, la tomme posée sur le vrêt, leurs ombres monstrueuses, oscillantes. Ils sont descendus à pas de velours pour ne pas réveiller la vieille endormie là-haut dans son fauteuil. Ils avaient fait le ménage, la vaisselle, Moinette

avait été prêtée à la veuve du Mollard qui était aussi une cousine de sa mère et n'avait personne pour l'aider. Elle avait proposé à Vincent de l'accompagner, ça n'enchantait pas le garçon de quitter l'atelier d'Albert pour nettoyer la maison d'une vieille femme mais Moinette avait saisi sa main : j'ai un truc à te montrer. Ils avaient pris la luge sur une neige ancienne, une neige de mars qui gèle la nuit et devient dure et lisse et un peu craquante. Moinette s'était assise devant Vincent, le dos appuyé à son ventre, elle lui tenait chaud comme la veille sous la pleine lune, quand les enfants de la Villaz bravaient le couvre-feu en glissades muettes tandis que les adultes jouaient à la belote derrière les fenêtres calfeutrées, ils ne riaient pas, ne criaient pas pour ne pas alerter les gendarmes, on entendait juste la glace frottée par les lugeons et le bruit de croûte fendue des talons enfoncés dans la neige, en bas du talus. Ils avaient recommencé ce matin, Moinette toujours assise devant, réchauffant les côtes de Vincent, il avait senti contre lui l'arc très fin de sa colonne vertébrale et le renflement de ses vertèbres. Quand la vieille s'était endormie, Moinette avait ouvert la porte d'une pièce qui devait être un atelier. Un atelier mort. Pas jonché de sciure, d'éclats de bois et d'outils dispersés. Une sorte de musée, tous les outils pendus à des clous par ordre de taille, rutilants, le sol net. Et sur l'établi, trois violons. Brillants. Vernis. Comme neufs. Et des archers posés à côté.

— T'as déjà vu un violon ?

Moinette était sûre que non, il ne voulait pas gâcher sa surprise et avait secoué la tête. La joie avait flambé au visage de Moinette.

— C'est son mari qui les fabriquait. Il en jouait aussi, avec ses doigts tout tordus, je m'en rappelle même si c'était il y a longtemps. Des doigts avec des articulations grosses comme des œufs de mésange. Vas-y, pince les cordes.

Vincent avait obéi, les notes étaient tombées en gouttes.

— Un jour je jouerai du violon, avait gravement annoncé Moinette. À force que je vienne ici, elle m'en donnera un. Comme Ambroise je ferai danser les gens et pleurer les gens. Ne le dis à personne.

Vincent avait acquiescé.

— Une fois j'ai emporté un archer à la maison. Ne le dis à personne.

— D'accord.

— Je l'ai rapporté. Dans ma chambre j'ai joué du violon dans les airs, comme ça.

Moinette avait saisi l'archer sur l'établi, penché la tête et scié lentement l'air au-dessus de son épaule.

— Ne le dis à personne.

— Oui.

— En plus j'étais très douée.

Moinette tordait ses doigts, froissait sa jupe. Elle avait regardé autour d'elle, puis :

— Suis-moi.

Alors ils sont descendus à la cave. En bas, elle a tendu la main vers un recoin sombre.

— Regarde, elle a dit, allumant brusquement la lumière.

Les endives ont jailli d'une caisse de terre noire. Dix petits obus blancs aux pointes jaune pâle dressés dans la semi-obscurité. Des endives comme des bijoux. Jeunes et lisses et parfaitement oblongues. Il ne savait pas qu'on pouvait faire pousser des endives dans une cave. Que des endives en terre c'était si beau.

— T'as déjà goûté des endives ?

Moinette a enfoncé ses doigts minuscules dans la terre, gratté autour de la racine, sorti son opinel, sectionné l'endive au collet. D'un coup a mordu dans le flanc, faisant craquer les feuilles, et aspiré le jus. À Vincent, elle a tendu la pointe intacte.

— C'est le meilleur.

Vincent a regardé la petite main terreuse, les ongles noirs, l'empreinte des incisives dans la chair de l'endive, brillante où Moinette avait mordu, mate autour. Il a croqué la pointe. Il avait déjà mangé des endives, mais pas comme ça, crues, coupées à la racine. L'endive avait un goût amer, une texture ferme aussi fraîche que l'eau du bassin. Ça le changeait des conserves et du cuit. Moinette a mordu encore, il a mordu, elle a recommencé, il l'a refait, essuyant le jus sur sa bouche, jusqu'au trognon. Elle a fourré la racine dans sa poche et rebouché le trou dans la terre.

— Elle les compte jamais… ne le dis à personne.

— À personne.

Elle l'a regardé jusqu'au fond de son cerveau pour voir si elle pouvait le croire.

Et c'est là qu'elle murmure :

— Quand tu parles, on dirait que tu chantes.

Il ne sait pas si c'est un compliment. Si un garçon de douze ans peut se réjouir d'une voix mélodieuse. Mais l'ampoule jaune danse au fond des pupilles de Moinette en petits lampions de fête, il décide que sa voix lui plaît.

— Ce serait bien pour le violon.

— Quoi ?

— Les musiciens, des fois ils ont besoin de chanteurs.

À l'étage, la vieille femme ronfle toujours. Une bulle de salive gonfle et claque entre ses lèvres à chaque expiration. Ils comptent : une, deux, trois bulles, ils fuient vers la cuisine de crainte d'éclater de rire. Là, par l'étroite fenêtre on voit l'église dans la distance.

— Il y a des gens qui vivent dans le clocher, murmure Moinette.

— Hein ?

— Y a des gens dans le clocher.

— Qu'est-ce que tu racontes…

— Ils ne restent jamais longtemps. Ils se cachent.

— Comment tu le sais ? Pourquoi ils se cachent ?

— Je suis petite, on ne fait pas attention à moi. J'entends beaucoup de choses. Ne le dis pas.

Quand on se cache c'est qu'on a peur. Comme Joseph Pavlevitch. Vincent a déjà sonné les cloches pour la messe, pendu à la corde avec Félicien, le plus gros élève de la classe, pour faire bouger les colosses de 115, 235, 480 kilos. Il n'y a personne dans le clocher quand on regarde par en dessous.

— Tu dis n'importe quoi.

— Je ne dis pas n'importe quoi.

— Tu les as vus, les gens ?

— Je le sais, c'est tout. Ne le répète pas.

Moinette n'est pas le féminin de moineau, Moinette est une chouette miniature, un oiseau de nuit déguisé en petite fille qui s'échappe au-dehors quand tout le monde dort, dilate ses pupilles et voit ce que personne ne voit. C'est ça ou elle ment. Elle veut lui faire savoir qu'il compte en tout cas. Tu comptes quand tu protèges un secret. Alors plusieurs. Il ne sait pas quoi faire de ça. Ce qu'elle attend en retour, cette fille qui fabrique des secrets, faite de secrets, s'il n'avait pas senti sa colonne vertébrale contre son ventre sur la luge il pourrait la croire d'une autre espèce, une créature remplie de songes et de visions et de mots tus à travers laquelle on passerait la main. Et puis il scrute son profil. Voit ses petites dents crénelées et brillantes, ses cils noirs dessinés, sa minuscule fossette enfoncée dans la joue droite. Elle est tellement vraie.

— Si tu veux, même, des secrets je t'en dirai d'autres. Madamé Simoné ! ils entendent soudain derrière la porte. Madamé Simoné ! Chhhh, fait Moinette à Vincent un doigt sur la bouche. Madamé Simoné ! insiste la voix. On frappe maintenant. La vieille pourrait se réveiller. Moinette ouvre et un Italien moustachu apparaît, qui se frotte les mains énergiquement. Il veut se chauffer les mains au poêle. Moinette le laisse entrer, de l'orage au fond des yeux. Il avance précautionneusement, désignant la vieille dans son fauteuil.

— Ma mamma : pareil ! il chuchote, et il retrousse les narines, imitant la ronfleuse.

Ils attendent un peu, le temps que l'Italien se réchauffe. Moinette s'impatiente. Lasse, elle décide : viens, on rentre. Ils sortent et l'Italien, bien obligé, s'en va aussi. Quelques flocons virevoltent en poussière, le ciel est blanc, la lumière baisse. Pas un temps à rester dehors. Au moins, ils sont seuls. Ils tirent la luge derrière eux.

— T'as aimé les violons ?

— Oui.

— Les endives ?

— Oui.

Moinette s'arrête.

— Tu me diras un secret ?

Ça le laisse sans voix. Si elle savait. Il faudrait un secret partageable. Il réfléchit à toute vitesse, s'il se concentre il a bien un secret en réserve. Ou un secret inventé. C'est la cousse dans son cerveau. Il pourrait lui dire comme il voit les sons en couleurs, lui montrer le dessin de son île haute. Non, ce ne sont pas de vrais secrets.

Émile le sauve. Émile d'Ivry habite le Mollard. Il agite sa main derrière la fenêtre, là, de l'autre côté de la trace, puis surgit dehors : sa grand-mère les invite à goûter. Moinette fait la moue. Elle n'a pas son secret et Vincent lui échappe. Laisse-moi la luge, dit Vincent, je la rapporterai. Mais elle secoue la tête et s'éloigne, la luge vide derrière elle, petit cor-billard tiré par un lutin. J'arrive ! lance Vincent à Émile qui retourne à l'intérieur parce que bon Dieu ça caille. Il regarde rétrécir Moinette. Elle le sent, à cause de ses yeux qui voient même en arrière. Elle se retourne. Le fixe de loin. Il reste avec Émile pour fuir ce regard, cette exigence de confidence, son imagination en berne. Il n'en est pas sûr, il croit que du bout des doigts elle lui envoie un baiser.

Chez Émile, il brûle sa bouche aux pommes de terre servies par la grand-mère. Ils mangent sans rien dire, affamés, tandis qu'elle suce les pommes de terre comme des bonbons entre ses gencives. Quand la femme quitte la pièce, Émile lèche l'assiette grasse. Te gêne pas ! il encourage Vincent. Vincent passe sa langue sur les luisances de beurre. Le battant de la grosse horloge martèle cinq heures. C'est une drôle de maison, celle de la grand-mère d'Émile. Elle n'a pas de bêtes, pas une. Pas d'odeur d'animal ni de fumier ni de fromage ni de rance, la femme est trop

94

vieille pour s'occuper de bêtes. Pas de foin dans le grenier. Ça sent seulement la pomme de terre sautée, les herbes séchées, le bois. Émile balance ses jambes sous la chaise. T'es là depuis longtemps, alors, dit Vincent. Émile hoche la tête. Depuis quand tu n'as pas vu ta mère ? Ma mère est morte, répond Émile, je m'en souviens même pas. Vincent fixe le cartilage de ses oreilles, tellement mince que la lumière les traverse. Une oreille orange comme un abricot. Oreille, il se répète, oreille, c'est rouge clair. Il se demande si c'est pire d'avoir une mère morte ou un père caché dont on ne sait plus rien. Et ton père, ose Vincent, tu ne l'as pas vu depuis quand ? Trois ans et demi, dit Émile en collectant des grains de sel sous la pulpe de son index. Il t'écrit ? Il écrit à Mémé. Et toi… tu lui écris ? Non. Enfin si, pour Noël. Vincent voudrait savoir si son père manque à Émile. Il saurait si Sophie, sa mère à lui, lui manque suffisamment. Il articule très bas : il te manque, ton père ? Émile hausse les épaules. Il cligne des paupières. Il gratte une plaie sur le dos de sa main, suce le sang qui perle.

— Des fois.

Bon. Vincent remonte à toutes jambes vers la Villaz, manquant de déraper sur la neige devenue patinoire dans la trace, croûtée autour comme un biscuit. Il va jusqu'à sa chambre, fouille dans sa valise, file chez Moinette.

— Moi aussi faut que je te montre quelque chose, il dit essoufflé.

Il ouvre sa main. Elle saisit le médaillon où se serrent les visages de son frère et de ses parents. Elle va du médaillon à Vincent, de Vincent au médaillon.

— Ton frère il te ressemble. Comment ils s'appellent, tous ?

Victor, il dit désignant Jean. Françoise, Jean-Marie. Et chaque nom égrené fait tomber le nom tu au fond d'un puits. Victor, répète Moinette. Françoise. Jean-Marie.

— Tu l'as montré à quelqu'un ?

— Le médaillon ? Non.

— C'est un secret alors ?

Moinette, tu n'imagines pas.

— Oui, c'est un secret.

Et il murmure, pour qu'elle soit sûre :

— Ne le dis à personne.

Ce soir-là, Vincent esquisse sur une feuille le visage magenta de son père, lui donne les contours exacts de sa montagne. Vincent aussi est le gardien de mondes cachés.

Soulever la neige, soulever le clocher, il veut voir. Voir, voir, voir, toutes les choses cachées. Débusquer son père à l'aide d'un télescope géant. Voir pousser le veau dans le ventre de Charmante, la vache noire qu'on a cessé de traire, le veau ramassé en boule de poils et de peau jusqu'à ce que quelque chose craque. Voir sous la chemise de Blanche en coton pâle. Voir sous le drap tendu dans la cuisine à l'heure de sa toilette, d'habitude elle attend pour se baigner qu'il soit au catéchisme, ou chez Moinette, ou qu'il dorme, il ne l'a jamais vue se laver comme lui le dimanche, n'a jamais aperçu l'ombre de son corps projetée contre le drap à la façon de leurs ombres à eux, les hommes. Ce jour-là elle le croit en allé, il est dissimulé dans l'escalier tandis que se découpe son profil souple, ses renflements concaves, reins, nuque, ses seins en obus plus ronds que des endives, il les imagine blancs avec une pointe rose pâle, endives dodues de peau, il a un peu honte ; le ventre bombe légèrement au-dessus des cuisses, le nombril bourgeonne sur l'abdomen. Il n'a jamais vu le corps d'une femme, il n'a ni sœur ni cousine. Il ne l'a jamais imaginé, il aurait fallu se figurer le corps nu de sa mère, il n'aurait pas pu, ça l'aurait dégoûté. Maintenant il est au cinéma. Blanche sur grand écran. Blanche à inventer dans le noir pur de la forme, il n'a que ça, du noir, comme pour la montagne il n'a que du blanc.

Il y pense constamment. Les mains de Blanche sont des indices. Il les observe qui cuisinent, cousent, traient. La peau rosée, duveteuse au dos, présage toute la peau. Les ongles carrés enfoncés dans la pulpe laissent deviner la forme des doigts de pied. Les tendons saillants promettent des hanches, des épaules, des chevilles dessinées. L'intérieur nacré des poignets nacre par extension les plis des coudes et des genoux, pour sûr doux au toucher.

Il regarde ses doigts traire Marquise. Le blanc des mains sur le blanc des pis fuse en couleurs s'il se concentre. Main c'est rouge. Pis c'est bleu. Un rouge, un bleu primaires dont le mélange optique forme une vibration violette. Ça, il le dessine vite, le pis bleu, la main rouge, il n'a pas besoin d'un mélange de couleurs ni du crayon violet, les teintes se contaminent aux lisières des formes.

Il la voit décrocher une souris prise dans la gueule du chat. Une petite souris grise à tête dodelinante, au poil épais, mordue à la panse et intacte autour comme l'endive dans la cave du Mollard. Est-ce qu'elle est vivante ? Il voudrait la toucher, sentir si le corps est tiède. Il imagine les canines du chat plantées dans la chair en dagues fines. Il suit le chat qui promène la souris à travers la maison, semant des gouttes de sang.

— Tu la manges, tu la laisses… décide-toi le chat ! dit Blanche en essuyant le chapelet de taches sur le parquet.

Elle finit par saisir la souris dans ses mains, enfonce ses doigts dans la bouche du chat. Tiens-le, elle ordonne à Vincent. La petite chose molle tombe dans la paume ouverte de Blanche. Aux frontières du poil et de la peau vibrent des reflets roses.

Une fois il voit de près sa nuque. C'est le soir, Radio Sottens diffuse une valse. Tu valses, Albert ? propose Blanche à travers la pièce en essuyant ses mains au tablier – tablier, noir, noir et rouge vibrent en bordeaux. Albert couvert de sciure danse avec Blanche. Il boite, évidemment, et elle décroche simultanément, un pas sur deux, parfaitement synchrone. C'est une valse extravagante, syncopée et fluide. Ils tournent en toupie lente et ininterrompue, leurs déséquilibres sont des périls déjoués, la danse même, infiniment recommencés, infiniment rétablis.

— Tu devrais essayer, Vincent ! dit Louis depuis son fauteuil.

Il ne sait pas danser mais quand bien même, le défi gravitaire de Blanche et d'Albert l'intimide, surpasse en grâce toutes les danses. Blanche lâche les bras d'Albert, saisit la main de Vincent, elle presse contre lui les pointes rose pâle de ses seins et le bouton de son nombril, il ne peut pas s'empêcher d'y penser. À hauteur de ses yeux luit la peau de ses trapèzes. La ruche dans son ventre se met à bourdonner.

— C'est mon père qui m'a appris la valse.

La *valseux*.

— Il disait si tu te tiens bien droite, on peut faire tenir sans qu'il tombe un petit bougeoir sur ton épaule. *Tonne épauleux.* Il voit saillir les muscles et les tendons, là, dans ce pan de peau révélé.

— Un bougeoir, tu te rends compte ? Avec flamme allumée, je te prie, et sans l'éteindre.

Une flamme qui oscille sur la peau de Blanche qui valse. Est-ce qu'à nouveau elle exagère ? Il se laisse guider, il lui écrase les orteils, elle rit et le repousse, on va faire de l'espace entre nous jeune homme ! Alors la danse devient grotesque avec un trou entre eux, qui a le mérite d'éloigner l'excitant pan de peau et d'étouffer la ruche. Quand Blanche retire brusquement sa main et la porte à son ventre, il est soulagé que ça s'arrête.

— Mon petit Cerdan... elle dit, pliée en deux. Il préfère la boxe à la danse, lui !

La main de Blanche sur la robe. Main rouge, robe rouge. Il n'en revient pas, Blanche comme Charmante attend un petit ?

L'inconnu sous le manteau de neige. La mer tapie sous les Aiguilles. Les fantômes qui hantent le clocher. Le veau indécelable sous la panse de la vache et l'enfant dans le ventre de Blanche. Le père dissous dans le silence et la nuit. Vadim sous Vincent. Tout est mystère, tout le temps.

— Vincent ! Vincent, réveille-toi ! dit la bouche de Blanche.

Il se frotte les yeux.

— Habille-toi, Charmante fait le veau !

Une lueur blafarde traverse le paillet tendu sur la vitre. Il neige ou il est tôt. Cette nuit, des coups sourds sont montés de l'écurie, des drôles de beuglements qu'il a pris pour la bande-son de ses rêves. C'est donc le veau qui arrivait. Il croit le veau sorti, s'imagine une vache en petit, il n'a jamais vu de veau, tout ce qu'il connaît des veaux c'est la tête de veau vinaigrette. Il s'habille en bâillant, il descend. Il ne comprend pas ce qu'il voit. Charmante est couchée dans la paille, son flanc se soulève en vagues. Deux flèches grises transpercent sa peau sous la queue. Pourtant elle ne beugle pas. Elle respire seulement, ça semble lui demander un effort terrible. Il connaît ça, Vincent, ce combat pour l'air. Mais la vache ne siffle pas. Allez ma belle, murmure Albert accroupi devant la blessure qui ne saigne pas. Vincent fixe les flèches fichées dans la panse.

— Tu vois, le veau arrive.

Il ne voit rien. Ou alors le veau est à l'intérieur, harponné par les flèches. Albert y noue des cordes, se lève et tire de tous ses muscles, jambes à l'oblique, bras tendus à craquer. À un moment on entend un grand bruit de succion et une tête apparaît. Ce que voyait Vincent c'étaient des pattes avec des sabots clairs comme des ongles, la tête d'un veau est soudée dessus. La tête se dégage, mouillée, gluante, la langue tirée. C'est un atroce tableau cubiste, morceaux de corps greffés les uns aux autres par l'effet du hasard, c'est un monstre, une chimère. D'un seul mouvement, la moitié postérieure du veau jaillit hors de la vache. Le silence est extraordinaire. Quand les pattes arrière ont franchi le trou, que le veau est couché dans la paille, immobile et muet, que les silhouettes séparées des deux bêtes retrouvent des contours reconnaissables, c'est la plaie qui aimante Vincent. Des mains saisissent la paille, frictionnent le veau, il entend les rires. Lui regarde la vache déchirée au-dedans. Le trou rouge qui a vomi le veau.

— Il est beau, hein ? dit la voix de Blanche. Comment tu veux l'appeler ?

Il voit la main d'Éloi taper la croupe de la vache, debout il dit, et lourde, lente, elle se redresse avec son trou béant et son ventre ravagé et elle se met à lécher le veau du sang et des liquides qui le couvrent, longuement, entièrement, comme si de rien n'était, amnésique de sa propre douleur.

— Rouquine c'est bien, non ? Regarde, elle est toute rousse comme sa mère !

À un moment le veau se lève, tremblant. Ses genoux cassent, on dirait un de ces jouets articulés dont les jointures plient quand on enfonce un poussoir sous le socle. Il titube, s'écroule, recommence, Vincent est tenté de se laisser happer par cette vision fragile et tendre mais il revient à la vache.

— Rouquine, c'est d'accord ?

Il hoche la tête, il pense au ventre de Blanche, au petit qu'elle attend, aux flèches qui vont la pourfendre. Il se dépêche de la dessiner, ce jour-là, d'après le souvenir de son ombre projetée contre le drap le soir du bain. Il ne sait pas quand l'enfant doit naître, il se hâte de la sauver elle, de la retenir avant la ruine.

Pinson, dit Martin. Astrance, vanesse. Linaigrette, athyrium, bergeronnette, traquet. Il joue à brouiller les pistes, balance des mots au hasard que Vincent ne peut pas comprendre et qu'il transforme inlassablement en printemps : péristyle, nyctalope, nimbus. Et des mots inventés, sans orthographe, qui font seulement de la musique puisque c'est ce qui le change en coloriste : mollinarque, étemble, embrèque, et gentilène, et ombaline, et protis qui appelle du vert, et japrette qui est jaune soleil. Garamole, qui claque bleu outremer. Garamole, garamole, garamole.

Il entend Albert et Blanche murmurer dans le pèle, en dépit de leur effort pour étouffer leurs voix. Il perçoit des saillances, des variations de tempo, c'est une houle. Une dispute feutrée qui ramène Vincent au petit appartement des Batignolles, à l'automne de la défaite, quand les Pavlevitch n'ont plus su qui ils étaient.

Ils ont pris la boutique de Félix, avait annoncé Joseph de retour de la cordonnerie, et c'est ce soir-là que les doutes avaient surgi. Il avait décrit le placard rouge vif collé sur la vitrine, c'était dégueulasse, Félix allait devoir céder son commerce. Dès le début, Félix s'était fait recenser. Vadim s'était souvenu d'affiches appelant au recensement des Juifs, il avait appris le mot recensement. Joseph arpentait la pièce étroite, tordant un fil de fer entre ses doigts. Il ne comprenait pas que Félix soit allé se déclarer, le lui avait dit. Félix avait secoué la tête comme si la remarque de Joseph était idiote. Il s'étonnait que lui, Joseph, ne l'ait pas fait. Joseph ne se sentait pas concerné : son père était mort quinze ans auparavant, emportant la mémoire familiale, Sophie et les enfants étaient baptisés, même s'ils n'allaient pas à la messe. Fier d'être juif, fier d'être français, avait dit Félix, et il lui avait tendu sa carte tamponnée du J rouge.

— Eh bien, avait dit Sophie, s'il est juif…

Ses propres cousins à elle, Marc, Paul, ceux qui plus tard porteraient l'étoile, eux aussi s'étaient fait recenser.

— Sonetchka, tu vois où ça mène ?

Vadim était perdu. Pourquoi Félix devrait mentir ? Pourquoi il voulait que les Pavlevitch se fassent recenser ? Félix, avait dit Joseph, c'est le cancre qui prend le bonnet d'âne pour une distinction au lieu d'une marque d'infamie. Vadim ne savait pas ce qu'était une marque d'infamie. Ce qui était sûr, c'est que malgré son atelier confisqué Félix ne regrettait rien et n'en démordait pas, les Pavlevitch aussi devraient se faire recenser. Joseph lissait le fil de fer entre ses doigts : mais nous, on n'est pas juifs ! Ça avait fini par troubler Vadim comme ça troublait sa mère, que ni Félix ni les cousins de Sophie n'en soient convaincus. Jean se taisait, observait son père. Une autre fois, Joseph avait rapporté les propos de Félix au sujet du formulaire qu'il avait rempli au commissariat. Le formulaire indiquait : trois grands-parents juifs, ou deux plus un conjoint juif, et tu es juif aussi quoi que tu en penses. Donc Joseph tu es juif, ta femme est juive, tes enfants sont juifs. Joseph ricanait, Félix avait besoin d'un formulaire pour savoir s'il était juif ! Vadim avait pensé formulaire rime avec dictionnaire, on y trouve des définitions. De toute façon, rappelait Joseph, Félix avait décidé de se déclarer avant de le voir, ce formulaire. On s'en foutait du formulaire.

— Qui a raison, Vadim ?

Sophie tremblait.

— Laisse-le, Jo.

Vadim avait peur de se tromper. Le dictionnaire ne ment pas.

— C'est toi, papa.

Il n'était pas sûr.

— Et s'ils sont au courant, Jo… avait balbutié Sophie. Pour ma mère, mes grands-parents ? Pour tes parents ?

Comment ils sauraient ? Elle avait dit Joseph regarde-moi : ton père s'appelle Jacob. Ta mère s'appelle Rachel, c'est écrit sur ta carte d'identité. Ma mère s'appelle Myriam, nom de jeune fille Simon.

— Enfin, Sonetchka…

Il riait alors, Joseph. Personne n'irait dans ce cimetière de banlieue voir si la tombe de Myriam Bonnet née Simon porte ou non une croix. Personne n'irait à Moscou vérifier si les ancêtres Pavlevitch allumaient un chandelier à sept branches et si Joseph dans une vie antérieure ne se serait pas appelé Yossef. Sophie ne riait pas. Les nuits ne seraient plus longtemps silencieuses.

Soudain, Joseph avait rapatrié l'atelier à l'appartement. À cause du manque d'espace à la cordonnerie, il avait dit, et puis il travaillerait quand il voudrait. Sophie ne l'avait pas cru, tu m'expliques ou je vais voir ton patron. Joseph avait cédé, et sa réponse prouvait que le formulaire n'avait peut-être pas tort, ou qu'il était plus fort que lui. Un policier l'avait demandé le midi à la cordonnerie. Comme il déjeunait dans l'arrière-boutique, le patron, prudent, avait pu nier qu'il était employé. Mais une fois le policier parti il avait dit Joseph, je veux pas d'emmerdes. Il renonçait à lui céder sa boutique comme c'était convenu à la fin de l'année, il était désolé, pas question qu'elle subisse le sort de l'atelier de Félix. Il avait dit Joseph, tu as un accent. Tu t'appelles Pavlevitch. Un accent russe, un nom russe avait argué Joseph. Et le patron :

je connaissais ton père, tout le quartier le connaissait, il n'était pas que russe. Et Joseph : je suis en France depuis trente ans, et pas seulement le fils de mon père.

— Toi seul le sais.

Le patron consentait à garder Joseph à condition qu'il se replie chez lui, motus et bouche cousue. À partir de ce jour il ne connaîtrait plus de Joseph Pavlevitch. Et répétant ces mots, la tête dans les mains, Joseph balbutiait : tu te rends compte, Sonetchka, je l'ai remercié.

Alors les colles et les solvants étaient entrés chez eux. L'asthme avait resserré son étau sur les bronches de Vadim, et les murmures de ses parents froissé toutes ses nuits. Il saisissait des bribes de ces conflits ouatés, les associait en puzzle. Ses parents hésitaient à être juifs, ou plutôt sa mère doutait qu'ils y échappent, à cause de leurs ancêtres, de Félix, de Marc, du formulaire, se demandant s'il ne valait pas mieux obéir, se faire recenser plutôt que de résister et le payer plus tard. On le paierait tout de suite disait Joseph. De quoi ils parlaient ? Payer quoi, comment ? Jean qui jusque-là se murait dans le silence avait finalement avoué : dans le doute je préférerais me déclarer. Joseph le lui avait interdit.

Un jour, Félix avait frappé chez eux : il avait été renvoyé. Le nouveau gérant de sa propre boutique l'avait congédié, il était sans ressources. Il est devenu une cible, avait plus tard chuchoté Joseph à l'oreille de sa femme, ça Vadim l'avait entendu, entièrement, toute la phrase en dépit de la voix basse, il imaginait Félix la poitrine tatouée d'une croix pour être mieux visé. Si Joseph le permettait, Félix voulait bien lui donner un coup de main. Un cordonnier fantôme, il avait dit avec un sourire triste, mais Joseph aussi était passé du côté des fantômes. Félix restait sur le palier, la casquette à la main. Un mendiant, avait pensé Vadim, dévisageant l'ancien patron des *Semelles d'or, réparation – création de chaussures sur mesure*, le meilleur artisan de l'arrondissement. Les débats nocturnes n'en finissaient plus : il faut le faire, suppliait Sophie, se recenser ; surtout pas, martelait Joseph. Ils déchiraient la nuit jusqu'à l'aube, mouillaient les draps de Vadim, dévoraient l'espace.

Des Juifs disparaissaient, évaporés, emportés par des trains. Pas Marc, heureusement. Pas Félix. Tous ceux qu'on raflait étaient des étrangers. En plus, on connaissait des Russes jetés en prison parce que l'URSS s'était retournée contre l'Allemagne. C'est pourquoi quand des policiers étaient venus le demander dans la cour de l'immeuble, Joseph avait avalé sa langue, sûr désormais que l'accent l'accablerait. Vadim l'avait compris : ce qui compte, ce n'est pas qui tu es mais qui on te croit être. Le soir même, ayant renié jusqu'à son nom, Joseph s'était enfui. Vadim avait suivi un an plus tard, quand on s'était mis à arrêter aussi des enfants français de Juifs étrangers.

Cette nuit les murmures d'Albert et Blanche retissent la toile où Vincent est insecte. Une glu filtre l'air sous ses côtes. Il repousse le chat qui feule. Il dégage les couvertures, se redresse, il gobe l'air, bouche béante, la tête renversée en arrière, il gratte furieusement sa gorge. Il descend dans le pèle, se chausse. Il entend Blanche l'appeler, il est déjà dehors, il sait que le froid gaine ses bronches, y glisse des goupillons de glace, il aspire le froid, se remplit de froid. Il plonge sa figure dans le bassin, il boit l'eau glacée, le froid liquide se propage dans les cavités de son corps jusqu'à ce qu'une main tire sa tête hors de l'eau. Blanche est debout dans la neige, grelottante, son ventre proéminent sous sa chemise. Qu'est-ce qu'il y a Vincent ? Elle secoue ses épaules, elle croit peut-être qu'il a fait un cauchemar, ou qu'ils l'ont réveillé, ou qu'il est somnambule, mais elle entend sa lutte pour faire entrer de l'air, il voudrait arracher la peau de sa gorge, il la griffe au sang. Elle le force à rentrer, suis-moi, il se souvient des mêmes mots le jour de son arrivée, suis-moi, elle avait frotté ses cheveux, dégelé ses pieds, séché ses vêtements. Il se laisse faire une nouvelle fois, il boit le bol qu'elle lui apporte, avale des comprimés d'aminophylline. Elle le garde allongé dans le pèle, surveille son souffle toute la nuit.

Au matin, elle dit mon petit frère est mort à l'âge de treize ans. Il s'appelait Vincent. C'est vrai. Un frelon l'a piqué à la gorge. Sa gorge a gonflé, il a étouffé dans l'herbe devant moi et je n'ai rien pu faire.

— Alors toi tu ne vas pas mourir.

Il ne veut pas mourir. De toute façon, une fiction ça ne meurt pas.

Une neige molle tombe derrière la fenêtre, retouche le manteau un peu jauni de la montagne. Vincent fixe le ciel.

— Vous vous êtes disputés, il ose.

— Tu nous as entendus ? Albert veut que le bébé naisse à Chamonix, il pense que c'est plus sûr, il y a des docteurs. Ça voudrait dire m'en aller quelque temps. Moi je préfère rester ici. On n'est pas d'accord.

Ce n'est que ça… Vincent regarde la neige couvrir la montagne, l'enfoncer à nouveau dans l'hiver. La fracassante beauté de la neige parvient à le river ici, à disperser la nuit. Il ignore que le foehn arrive. Que la fonte est proche. Pour l'instant la neige triomphe, cette neige de Vallorcine qui verrouille le col, parvient à tenir le monde à distance, en absorbe l'écho. Au catéchisme le lendemain il apprend qu'une montagne a été le refuge des survivants du Déluge. Il connaît le mot déluge, il a des images de trombes d'eau abattues sur Paris, de la Seine débordée de ses rives, d'arbres plantés au milieu du fleuve. Mais le déluge de la Bible est une apocalypse, quarante jours, quarante nuits de pluie ininterrompue qui recouvre la Terre, anéantit toute vie sauf les spécimens recueillis dans l'arche de Noé, colombes, girafes, chevaux, éléphants, porcs-épics, cygnes, panthères, licornes, chiens, dromadaires, moutons, cerfs, jaguars, il en fait l'inventaire, et une faune étrange dont il ignore les noms, qu'il tente d'identifier à la loupe sur la reproduction apportée par l'abbé Payot. L'arche échoue au sommet du mont Ararat dont la mer d'eau douce fait une île. Une île haute. À l'arrière-plan, le ciel est sans nuages. En hébreu, il paraît, Ararat signifie *le fléau est renversé*. L'abbé traduit : le malheur est vaincu.

II

VERT

5 °C. 8 °C. 10 °C, relève Vincent au thermo-
mètre de l'école. Puis ça repasse sous zéro. Puis le
mercure remonte. On le met en garde contre les
avalanches, celles de la fin de l'hiver sont les pires.
Elles ne fusent pas rapides et franches en nuage de
poudre jusqu'au bas de la pente, elles sont sour-
noises, roulent lentement sur elles-mêmes, une colle
dense.
— Comme du sérac, tu vois ?
Bien entendu il ne voit pas. Le sérac est un fromage
fade, friable, obtenu à partir du petit-lait, semblable
à la ricotta ou la brousse. Il ne connaît ni la ricotta
ni la brousse. Il aidera à fabriquer le sérac, plus tard,
après avoir cueilli les feuilles d'egi qui le caillent, il
en mangera même, ayant oublié la comparaison de
Blanche. L'avalanche de printemps rampe dans le
couloir, c'est vrai, il la contemplera une fois, compacte et presque silencieuse, qui épouse les parois,
les déborde, déracine les arbres au ralenti et emporte
les roches, les mottes de terre, s'y mêle en grumeaux
sales. À l'intérieur, aura prévenu Blanche, il n'y a
pas d'air. L'air-ne-pas-se-pas, elle répète, agglomé-
rant les syllabes en pâte, elle ne veut pas qu'il meure.
Ne pas baisser la garde, pas encore. Même après le

6 avril, alors que le maître pointe du doigt un oiseau à tête gris-bleu qui sautille au bord de la fenêtre.

— Un pinson !

Il annonce : c'est le printemps, et il écrit le mot au tableau. Ce que le maître écrit au tableau ne souffre aucune contestation.

Le maître a beau le décréter, c'est difficile à croire. D'ailleurs il n'a rien dit, le 21 mars, le jour du vrai solstice, Vincent le guettait parce qu'il désire fébrilement le printemps. Il a apprivoisé le blanc, il veut la suite, l'énigme élucidée. Mais le 21 mars, il neigeait des flocons de la grosseur d'une plume, on n'avait qu'à tirer la langue pour les saisir comme des hosties, les laisser se déliter contre le palais – le corps du Christ, murmurait Moinette en remontant vers la Villaz, amen répondait Vincent. Le printemps de Vadim a toujours été vert tendre, un peu humide et traversé de nuées de pollens. Avec des fleurs pâlottes au bout des branches, des jonquilles au pied des platanes, des tonnes d'aminophylline. Les semelles chauffent doucement sur le bitume, des joueurs d'accordéon campent devant les grilles des Batignolles. Dans le parc les abeilles bourdonnent. Sophie sort les bacs de géraniums rentrés l'hiver à cause du gel. Elle frappe les coussins sur le balcon. Parfois elle met un trait de rouge. Tu changes de pantalon, tu abaisses tes chaussettes, tu ranges ton bonnet. Jean joue au foot sur la place. Joseph boit son café dans la cour, sous le marronnier. Il taille sa barbe. Ici, la neige tient et la nuit glace les vitres, le suspense est intact. À l'aube, des pampilles de glace frangent les bords des fenêtres. Le printemps est en retard. Ou bien il ressemble à l'hiver, en moins fort.

Vincent observe la lente mue du paysage. La couche de neige mincit. Elle devient grise, transparente même, par endroits affleure une boue brune. Des plaques foncées trouent subitement la neige, terre, bouse dégelée, herbe brûlée, se dilatent graduellement tandis que le blanc se rétracte, on dirait que le pelage de Marquise s'est mis en mouvement. Martin affirme que le printemps est la meilleure saison, le soleil chauffe en passant les Posettes, il peut enfin deviner l'heure rien qu'avec sa peau. L'impatience de Vincent l'amuse, sa frustration face au blanc qui résiste. Dessine, il dit, tu as encore un peu de temps. N'empêche, la cousse est oubliée. À la place, des averses de grumeaux lourds et mouillés amollissent la couche de neige sans la faire vraiment fondre. D'autres légères comme un pollen annulent pour quelques heures, une journée au plus, le camaïeu de bruns esquissé par le redoux. Les gelées matinales donnent l'illusion d'un retour d'hiver que les premiers rayons dissipent, mais dans les zones privées de soleil, au nord des maisons, dans les inflexions du sol, les flaques d'ombre des arbres, des bassins, des croix, la neige persiste et se fout du calendrier. C'est une curieuse métamorphose : le blanc s'efface mais partiellement, sans rien laisser voir que du brun et du noir. Ça fond, ça reneige, ça refond, une main indécise rembobine la pellicule, pense Vincent, il s'imagine prisonnier d'une bulle où le temps oscillerait d'avant en arrière, d'arrière en avant, plus de blanc, moins de blanc, plus de blanc, moins de blanc.

N'empêche, dans la forêt face à l'école, les branches des sapins allégées se redressent, s'arrondissent vers le ciel en bras de danseuses.

N'empêche, des rochers percent les pentes. Ils ont des peaux rugueuses, des lichens y dessinent des feux d'artifice vert clair ou de fantastiques cartes géographiques rousses et noires où surgissent des continents, des îles, des mers.

N'empêche, la vallée s'ouvre, devient réelle. Vallorcine n'a jusqu'alors été qu'un agrégat de syllabes, territoire imaginaire parcouru d'invisibles hameaux et couloirs d'avalanches. Il n'en connaît que la Villaz, le Clos de l'église et la cure, le Mollard où habitent Émile et la vieille à qui Moinette est prêtée, et le Crot, et le Sizeray sur le chemin de l'école, et encore il ne s'est pas arrêté au Crot et au Sizeray, ce ne sont que des images de maisons serrées dans le blanc, marqueurs de paysage. Et puis bien sûr à cause de l'école, de la coop, il connaît le chef-lieu et la gare et le pont qui traverse l'Eau Noire. Au-delà de la coop c'est terra incognita. D'un côté le Rand, le couloir mortel, de l'autre une poignée d'hôtels vides tiennent lieu de frontières. Il n'a jamais été à Barberine, au nord, vers la Suisse. Il n'a jamais vu le sud de la vallée, jalonnée jusqu'au col des Montets sur presque cinq kilomètres de quatorze hameaux et d'une école réservée aux enfants du haut, sauf ce jour de janvier où il a traversé le tunnel à pied puis s'est enfoncé dans la neige jusqu'aux hanches, mais il était aveugle à tout. À hauteur de jambes, l'hiver de Vincent mesure au plus huit kilomètres carrés. Le printemps, c'est quatre fois plus vaste.

Remonter la vallée est une expédition. Vincent suit Moinette chez sa tante du Nant et l'espace se dévoile. Ils prennent par la route. La trace à la raquette est devenue inutile : la tranchée dans la neige, deux fois plus haute que lui en janvier, est presque à ras de terre. Il a mille yeux et il trébuche sans cesse, il y a trop à voir. La vallée se déplie, le mince serpent entrevu depuis la Villaz s'évase et le décor évolue de virage en virage. Plus on monte vers le col plus la neige est épaisse, et d'une rive du torrent à l'autre on change carrément de saison. La neige résiste du côté de l'envers où le soleil est rare, où le gel de la nuit, l'ombre du jour se conjuguent pour la faire durer et former dans les creux des patinoires turquoise où se fracasser les genoux. De ce côté de la vallée c'est toujours l'hiver même si le foehn – foehn, jaune pâle – attaque le blanc, le rabote de jour en jour. À la Villaz, la neige aura déjà totalement disparu qu'il restera des congères vers les Montets. Si Vincent scrute plus haut, au-dessus de la forêt presque noire, la neige s'entête, il la devine profonde, parfaite pour les avalanches. Elle a des teintes roses, rouges, orangées, on croirait un mirage. Vincent savait que le mot neige n'était pas blanc. Il apprend qu'à cause de la mer qui recouvrait tout, avant, des algues pigmentées tapissent encore les rochers.

Des bâtiments surgissent qu'il ne connaissait pas. Une scierie à aubes, près de la rivière. Plus haut un moulin, une forge. Une chapelle au Nant. Et la gendarmerie, logée à l'hôtel Belvédère, à côté de la chapelle, pile au milieu de la vallée. Depuis la Villaz on ne la distinguait pas, le printemps la révèle. Il n'a pas croisé de gendarmes depuis son arrivée et le voilà figé devant l'un d'eux qui fume, en cape et képi, une cigarette au soleil. Moinette le tire par le bras :

— T'as jamais vu de gendarmes ?

Il baisse les yeux quand l'homme croise son regard. Il les baissera toujours en passant devant le Belvédère comme s'il avait un lacet défait, ou perdu son mouchoir, ou il shootera dans un caillou et il pressera le pas. En attendant, il poursuit son voyage à travers cette vallée courte comme un ongle sur le plus bel atlas. Des montagnes insoupçonnées découpent le ciel. Plus on avance vers le col plus grandissent en face des Posettes des sommets aux formes changeantes, visions kaléidoscopiques. Vincent en connaîtra les noms plus tard, peut-être, il n'a aucune raison de les demander, d'ailleurs il ne sait pas qu'ils ont un nom, ce sont des pics, des dentelures, des cornes, des mamelons et peu importe qu'on les appelle Loriaz ou Vouille Mousse, ce qui est génial c'est de les voir muter selon le point de vue. Même sa montagne se déforme, les aiguilles Rouges, le sommet se taille en pointe, les versants s'accordent en symétrie. Depuis le Nant, c'est presque un triangle isocèle fidèle aux images des manuels scolaires. Heureusement rien n'y fait, il est trop tard, l'empreinte en forme de poulpe reste gravée dans son cerveau, un séisme n'y pourrait rien ; la vue depuis le Nant, Vincent n'en veut pas, il conserve sa version d'origine. Dans l'échancrure du col surgissent des monts indécelables depuis la Villaz. Il ne voit plus le mont Blanc, la perspective en altère le contour ou bien il est masqué, et un géant greffé de petites bosses nettes et bleues prend sa place : les Drus, plantés sur l'aiguille Verte. Les Drus il en retiendra le nom, parce que Moinette l'emmènera au Laÿ après être allée visiter sa tante, ils grimperont en lacets jusqu'à la plus haute maison du plus haut hameau, les aiguilles Rouges devenues méconnaissables à main droite.

— C'est la vue que je préfère, elle dira en suçant un glaçon, les Drus. Ne le dis à personne.

Qu'est-ce que ça pourrait faire à la fin qu'il le dise ? Il ne comprend pas que Moinette leur construit une cabane. Un nid rien qu'à eux où elle accumule des trésors, des mots, des sensations, des images, c'est pourquoi ce matin-là elle confisque les Drus au monde et les offre d'un bloc à Vincent, à Vincent et à elle, elle a dix ans, ils sont seuls en haut de la côte et le paysage n'a été modelé que pour leurs yeux.

En même temps que la fonte des neiges, la poussée de la lumière agrandit l'espace. Le jour s'allonge inexorablement, qu'importent les hésitations de la météo. Ça se joue plus haut, au niveau du système solaire, une histoire d'axes, de rotations, d'inclinaisons que rien n'arrête, le maître en a fait la démonstration à l'aide de boules de couleurs fixées sur un montant de fer : maintenant, quoi qu'il arrive la lumière s'étend, elle abolit le temps de la vie intérieure. Il faut voir s'élargir le ciel. À Paris, Vadim suivait au mur de la cuisine une tache vibrante de la taille d'une pièce, dont l'ellipse s'étirait de l'hiver à l'été, en mimétisme de la course du soleil, jusqu'à atteindre un angle du plafond. Elle s'y coinçait un temps, une araignée de soleil rabougrie sous la poutre, jusqu'à ce que les jours rétrécissent et la délogent. Ici la lumière coule sur une vallée entière, allume un à un les hameaux selon leur altitude, les plis de la montagne, leur position par rapport à l'axe des cols, de plus en plus généreuse, de plus en plus dorée, et les éteint en ordre dispersé suivant les fantaisies du relief. Si bien que de l'aube à la nuit la montagne palpite.

En plus, le retour de la lumière retrousse la vallée. Le linge sèche sur les fils en taches claires, draps, chiffons, nappes, chemises exhibent aux yeux de tous le dedans des lits et des armoires. La lumière projette les corps dehors et les met au travail, alors la foule massée chaque dimanche dans l'église se décompose enfin en visages, en silhouettes distinctes. Des hommes que Vincent n'a jamais remarqués plâtrent les façades. Des hommes scient, préparent les charpentes, aidés par des Italiens qu'on reconnaît de loin à leur chapeau à plume, ils font les gestes des villageois comme s'ils les connaissaient déjà. Des hommes grimpent sur les toits aux premières heures du jour, silhouettes noires dressées dans les fumerolles de la rosée qui sèche, on dirait des diables, on dirait des dieux, ils changent les ancelles moussues par des ancelles neuves, et depuis les sentes qui nervurent maintenant la vallée Vincent en aperçoit les quinconces gris et roses. Bientôt, des maisonnées entières déménagent d'un hameau à l'autre et Vincent verra, sur la route boueuse, des familles héliotropes migrer avec bêtes et provisions vers le Sizeray, vers le Nant ou les Granges mieux dotés en herbe, un exode exigu et joyeux.

Le printemps met aussi les enfants au travail. Moinette peut redevenir le guide.

Ça commence à ras de sol. Les enfants des hameaux vont aux champs le jeudi et après l'école, des dizaines, qui s'affairent dans toute la vallée car les champs de chaque famille s'éparpillent du nord au sud, de l'ombre au soleil, de la rivière aux lisières de la forêt. Ce sont des parcelles aux contours indistincts, sans délimitation entre eux, la neige de toute façon les effacerait, mais les enfants connaissent leur terrain par cœur. Ils ramassent des pierres, des tonnes de pierres.

— Pourquoi on fait ça ? demande Vincent.

— Ça pousse pas, dans les pierres ! soupire Moinette affligée.

En plus des pierres, Moinette déniche des plumes émergées de la neige, des longues aux teintes foncées, des courtes rayées en robe de tigre, des duvets cotonneux, elle en fait collection, il les a aperçues sur sa table de nuit, piquées dans un bocal. Pour mes chapeaux de dame, elle dit, et Vincent pense que ces oiseaux-là, il ne les a pas vus.

Ils balancent les pierres dans les hottes par-dessus l'épaule. Des millions d'années sur leur dos, les hottes sont si lourdes, la montagne est plus vieille que la préhistoire. La préhistoire, on l'entasse en *murgers*, c'est ainsi que Moinette désigne les langues de cailloux disposées sur les pentes dans le sens de l'avalanche : tu vides ta hotte sur le murger, et tu recommences. Et alors, à force de regarder par terre il repère les premières fleurs. Au début, il n'ose pas penser "fleurs" tant elles sont minuscules. Fines comme les pinceaux des miniaturistes, à Montmartre, qui font tenir Paris sur des toiles de la taille d'un miroir de poche. Des pointes mauves, des pointes blanches : les premiers crocus. Et des boules rabougries jaune d'or qu'il tente d'ouvrir du bout de l'index.

— T'as jamais vu de coucous ?

Des tussilages en petits soleils.

— T'as jamais vu de tacounets ?

Il perd du temps, il ramasse moins de pierres. Il n'a jamais vu de crocus, ni de coucous, ni de ces tussilages que Moinette appelle tacounets. Ni de ces moignons bizarres verts et blanchâtres qui crèvent la terre, les pétasites au nom évocateur de la bombe de fleurs qu'ils contiennent. Il n'a jamais vu de chatons de saule aux peluches douces, Moinette en fait de rapides bouquets – les pierres d'abord elle répond, quand il propose son aide –, ni de bourgeons de frêne, Albert dit qu'ils ressemblent à des pattes de chevreuil, il le croit sur parole. Il n'a jamais mangé de pissenlits, avant de rentrer à la Villaz Moinette en soulève tout un tas d'un coup d'opinel du côté de l'envers, à fleur de neige, des pousses dentelées au cœur presque blanc qu'on croquera en salade.

À un moment, il voit des grappes molles flotter dans les flaques, dans les mares dégelées. Des milliers de billes en formes d'yeux qui stagnent à la surface de l'eau.

— Regarde, dit Émile, une grenouille dans sa main ouverte, j'ai trouvé la mère de famille !

Moinette décroche dans l'eau une poignée de gélatine, la tend à Vincent. Il recueille dans sa paume la masse flasque, translucide et froide.

— Bon appétit !

— Ça se mange ?

Et elle, goguenarde :

— T'as jamais mangé d'œufs de grenouille ?

Les œufs tremblent dans la main de Vincent.

— Tu as la trouille… dépêche, on a les pierres à ramasser.

Moinette ramène lentement ses propres doigts à sa bouche. Vincent l'imite, lutte contre la répulsion qui lui serre la gorge et fermant les yeux, laisse glisser les œufs sur sa langue. Il les recrache aussitôt dans un spasme de tout le corps.

— Moi non plus, j'en ai jamais mangé ! rigole Moinette, et elle balance au loin ce qu'il reste d'œufs.

Il neige encore, le printemps s'efface sous un linceul de quatre centimètres qui reprend d'un coup les formes et les couleurs. Mais le lendemain ça fond, c'est le printemps à nouveau. Encore, pense Vincent, et ce qu'il désire n'est pas le printemps définitif mais la répétition du processus entier de perte et de réapparition, le simulacre de la mort chaque fois déjouée. L'effacement et le retour provisoire de la neige, Vincent les contemple sans se lasser.

Alors ça retarde, pour les pierres. Il a trop souvent le nez en l'air. T'as jamais vu de ruisseau ? Pas cette myriade d'écoulements aux sources mystérieuses, eaux de fonte qui strient les pentes et chuchotent jusque dans la nuit. T'as jamais entendu d'oiseaux ? Pas ce concert de chants impossibles à détourer, Moinette, c'est comme écouter une symphonie pour la première fois, les instruments se mêlent en une seule texture sonore où Vincent est incapable de distinguer la mésange du tétras-lyre, le merle du casse-noix, et si le pic martèle, les mélodies s'enroulent les unes aux autres et forment une natte de sons qui ricochent tous ensemble d'un bout à l'autre de la vallée. Vincent est constamment le garçon qui *n'a pas* vu, *pas* entendu, *pas* goûté, *pas* senti, *pas* touché, pareil à ce printemps des premiers jours, une forme floue, définie par défaut – *pas* l'hiver. À Paris aussi Vadim a existé par défaut les derniers mois. Il y a en lui quelque chose d'étranger, qui là-bas l'exclut et ici est une chance.

— Les pierres ! T'as même pas rempli une hotte…

Il se demande ce que lui ferait un deuxième hiver à Vallorcine. Un deuxième printemps. S'il s'habituerait. S'il cesserait d'être étranger. Ce qu'il y gagnerait, ce qu'il y perdrait.

Ça pourrait arriver, un deuxième hiver, un deuxième printemps. Il y pense, le jour de son anniversaire.

Louis vient de lui offrir une hotte tressée de ses mains, parfaitement ajustée à sa taille, à sa largeur d'épaules, sept jours de tressage de huit heures du matin à huit heures du soir après préparation du bois, Vincent l'a vu à l'œuvre. Et tandis que le garçon passe ses pouces sous les bretelles de cuir, éprouvant la cambrure de la hotte contre la cambrure de sa colonne vertébrale, Louis souffle : tu pourrais bien m'appeler Pépé. Vincent n'ose plus bouger. Louis n'a pas de petits-enfants. Ça le trouble qu'il n'attende pas le bébé de Blanche, que ce soit lui, le Parisien, la fiction de garçon, l'étranger, qui le fasse grand-père. Une fiction de grand-père.

— Tu as un pépé ?

— Oui, dit Vincent en caressant les fins fils de mélèze. Enfin, un papy.

— Ah, c'est bien. Pépé ce sera moi.

Si Louis choisit Vincent, c'est qu'il se le figure ici pour longtemps. Blanche coud, Éloi jette les bûches au feu, Albert cure sa pipe, pris dans les gestes ordinaires, aucun ne juge incongrue la proposition de Louis. Vincent n'a pas reçu de lettre de sa mère pour son anniversaire, ça a beau être celui de Vincent, il s'étonne. Il devient un Ancey. Vincent Ancey. Sa mère s'absente, Louis veut être son grand-père. Tout concorde à ce qu'il se fonde ici, se dépouille de sa vie antérieure. Ce mot-là, Pépé, dans la bouche de Vincent, refermerait sur lui le col des Montets plus sûrement qu'une avalanche. Combien de temps il va vivre dans cette maison ? Aussi longtemps qu'Émile, qui est chez sa grand-mère depuis quatre ans ? Émile est resté à cause de la guerre, est-ce qu'il ne rentrera qu'une fois la guerre terminée ? Quand finira la guerre ? Est-ce qu'elle finira ? Le futur n'existe qu'à rebours, après qu'une date a scellé la fin de l'histoire. Là, dans le pèle de cette maison du hameau de la Villaz, en ce soir du 10 avril 1943, demain est comme ailleurs un brouillard, au mieux une hypothèse. Il n'y a pas de fin de la guerre, même le printemps n'est pas inéluctable – d'ailleurs des flocons virevoltent encore, bravent le solstice. Il n'y a pas de fin prévue pour Vincent, pour la fiction, pas de retour à Paris, la guerre et l'hiver peuvent durer cent ans, mille ans, et Vincent être ici pour toujours.

— Tu es un rêveur, sourit Louis, pareil qu'Albert. À force de regarder en l'air, il raconte, Albert a chuté de dix mètres dans les rochers et son pied s'est brisé, hein Albert ? Avant ça, quel chasseur ! Louis a observé Vincent regarder la montagne, les nuages, la neige tomber pendant des heures, il ne songe pas qu'il serait lui-même capable d'une telle extase, peut-être ; il n'a pas l'habitude de rêver.

— Ma femme disait qu'Albert avait de la veine. Il était ici et ailleurs en même temps, comme toi. Celui qui comprend ça, Vincent peut bien l'appeler Pépé.

Les enfants sont dehors pas seulement pour les pierres, à un moment les pierres sont toutes sur les murgers. Pas seulement pour jouer aux billes là où le terrain affleure, sous les pellées de sable que le cantonnier commence à répandre. Dès l'apparition des premières plaques d'herbe, ce sont eux qui sortent les bêtes. Les chèvres, les moutons, les vaches, les veaux, et même les poules autour des maisons, c'est leur mission après l'école et quelquefois avant, et honte aux punis quand la fin de journée a sonné, ils ajoutent au labeur des adultes qui triment déjà jusqu'à la nuit, profitant de cette étroite brèche dans l'hiver pour entretenir les maisons, les barrières, le réseau d'eau, les bassins. Rien n'est donné qui ne sort de leurs mains à Vallorcine, leurs mains sont leur trésor, au printemps plus qu'à toute saison. De toute façon, les enfants l'évitent coûte que coûte, ce confinement supplémentaire, ils ont tant espéré ce printemps qui pulvérise les murs, délivre du regard des adultes, décuple l'espace. L'école les tient sept heures par jour, empêche la ruée spontanée vers le dehors, et eux leur peau leurs muscles leurs nerfs à tout moment crèvent d'échapper. Toi aussi Vincent, tu t'affranchis de l'école à l'insu du maître, ton squelette est vissé à la table dans la petite classe, tu l'as posé à ta place, sa bouche a mécaniquement répondu présent à l'appel et maintenant il respire la craie, copie les phrases insignifiantes tracées au tableau, il fait illusion l'automate de toi, il se tient à carreau. Pendant ce temps tu cours de l'autre côté de la fenêtre, le maître n'a rien vu, persuadé que c'est vraiment toi, là, devant lui, sagement assis, tu parcours la neige molle et la boue et les flaques de soleil, tu glaces ta main dans le torrent, tu observes les cincles plongeurs, tu cueilles des fleurs bizarres qui ne sont peut-être pas des fleurs, et quand le maître t'interroge tu rapatries provisoirement ta chair, ta langue, tes yeux à ton pupitre par-dessus ton squelette, tu balbuties une réponse idiote. Tu envies les écoliers de Barberine dont l'instituteur se cache dans la montagne pour échapper au travail en Allemagne – c'est Moinette qui le dit, les Italiens le cherchent partout. Ils n'ont plus d'entrave, les enfants de Barberine, à eux le printemps total. C'est pourquoi sans surprise, tu renonces à passer le certificat d'études : il faudrait réviser. Ajouter à l'école des heures d'école, le soir et le jeudi avec le maître et les trois autres candidats de la classe. Rétrécir le printemps. Le maître insiste, Vincent va réussir, et quel cadeau pour ses parents ! Mais l'urgence c'est le dehors. Et ni Blanche, ni Louis, ni Albert, ni Éloi n'essaient de persuader le garçon, il aura bien le temps, l'année prochaine.

Les bêtes, Vincent et Moinette les gardent bien sûr ensemble. Guettent la belette, le renard, l'épervier qui saignent les volailles et les poussins jaune d'or à peine sortis de la coquille. Empêchent les bêtes de déborder la chouée, la parcelle d'herbe permise par Albert, mais les bêtes se moquent des décisions d'Albert. Plongées dans le noir depuis octobre elles titubent, éblouies, la tête folle, pour elles c'est trop de lumière d'un coup et eux les imitent, marchant de traviole et n'importe où, les genoux en dedans, se cognant partout, ils se tordent de rire. Les vaches bondissent, piquées par le soleil, les chèvres se cabrent. Rouquine n'a jamais vu le soleil, ni l'herbe, ni la neige, elle cherche l'ombre de sa mère. Moinette veut la brosser, lui donner du sel, la coiffer, même, avec un petit peigne, comme une poupée ; mais Vincent reprend la brosse, la boîte de sel, Moinette aura un veau bientôt, elle en a tous les ans, il veut Rouquine pour lui seul. Il le dit à Moinette. Il lui a déjà prouvé qu'elle compte, a promis de l'attendre pour faire sa première communion, il a pourtant l'âge et l'abbé Payot le lui a proposé mais il a répondu l'année prochaine, puisque année prochaine il pourrait y avoir, il finit par y croire, et Moinette s'imagine devant l'église, en aube blanche à ses côtés, une mariée modèle réduit, deux anges épaule contre épaule sur la photo souvenir. Alors pour le veau, il tient bon. Ce veau moins vallorcin que lui encore, il a tout à apprivoiser, il ne connaît que l'écurie. C'est son premier avril. Son premier printemps. Sa première montagne. Il n'a jamais vu de tacounets, de pétasites et de ruisseau, jamais senti la neige. Rouquine c'est lui en plus neuf, c'est presque lui. Moinette regarde Vincent toucher les petites oreilles, douces au-dehors, caoutchouteuses à l'intérieur. Le poil court. La langue rêche. Les pis embryonnaires, à peine des boutons comparés aux mamelles de sa mère, il n'ose pas s'y attarder. Rouquine lèche le sel dans la paume de Vincent, frotte son museau contre sa joue, y laisse une trace humide qu'il n'essuie pas. C'est lui qui la sèvre, tendant le seillon comme le lui indique Blanche, glissant ses doigts à travers le lait jusque dans la gueule du veau pour l'inciter à laper, déclencher la première gorgée. Il ne s'est jamais occupé de personne avant, il n'a pas de petits frères et sœurs, ni même d'un animal. Il a fait la lecture au voisin, à Paris, il a tenté d'élever une chenille qui a séché dans une boîte d'allumettes. Pépé n'a pas d'autres petits-enfants, ce veau est donc exclusivement son veau, il ne veut pas le partager. Un veau, c'est vrai, Moinette en aura un bientôt. Elle n'est pas jalouse de Vincent. C'est le veau qu'elle envie. Le veau caressé par la paume du garçon, l'objet de sa déchirante tendresse. Il touche les longs cils blancs. Le contour de la tache claire sous son œil, si absorbé qu'il ne voit pas Moinette s'éloigner, disparaître du paysage, emportant avec elle la cabane impalpable où il n'est pas entré.

À chaque retour vers l'écurie, Vincent passe devant la maison de Martin et gratte la tête de Whisky, attaché tant que les bêtes sont dehors. Quand elles sont rentrées, il lance au chien des bâtons, le course jusqu'à l'épuisement car le bâton est la destination, jamais le butin, Whisky se contente de l'atteindre et de battre de la queue en attendant que Vincent le rejoigne et recommence. Ils boivent au bassin, le garçon et le chien, de cette eau fraîche qui mord les gencives. Vincent se couche contre son flanc, ferme les yeux et passe ses doigts à travers le poil chaud, tentant de distinguer la différence de texture entre poil blanc et poil noir. Il est toujours déçu quand il rouvre les yeux sur les catons restés dans sa main, comment il fait Martin.

Martin est assis sur le banc, un livre énorme ouvert sur les genoux. Un drôle de livre aux pages vides.

— Qu'est-ce que c'est ?

— Un roman. *Le Comte de Monte-Cristo*, tu connais ? C'est l'objet qui l'intrigue, pas le contenu.

— Les pages sont blanches…

— Moi je vois le château d'If, la mer de Toscane et le trésor des Spada.

Il rit.

— C'est du braille. Des groupes de points en relief forment des lettres, qui forment des mots, qui forment des phrases.

Vincent se penche sur le livre.

— Comment tu as appris ?

— Avec un curé. Celui d'avant Payot. On a appris ensemble, il n'y connaissait rien. Après, il m'a envoyé dans une institution pour aveugles.

Martin dit qu'il commande des livres à Paris, dans le catalogue d'une bibliothèque spéciale. On les

lui envoie gratuitement par le train jusqu'à Vallorcine.

— Alors tes dessins, tu en es où ?

Nulle part, mais Vincent n'ose pas le dire. La faute
au printemps, à la fonte progressive de la neige. Il
voit bien qu'en dessous ça commence à verdir, à
fleurir, trop peu pour l'empêcher complètement de
rêver, assez pour balayer ses fantasmes. Les algues,
les poissons, les pieuvres par exemple, il les range
bien pliés dans le grenier de son imagination.

— Je n'ai plus trop le temps.

— Bon.

— Même pour les devoirs j'ai pas le temps !

— Dommage. Ta montagne me plaisait bien… Si
je te dis alchémille ? chocard, gentianes ? mousseron ?
martinet ?

Vincent écoute. Ça sonne, oui, ça se colore. Mais
ça pâlit. Des rouges moins rouges, des verts moins
verts, des jaunes plus clairs, des roses dilués, la
palette minimale d'avril infuse son nuancier intérieur. À vrai dire, les couleurs importent moins à
présent que l'altération sans fin du paysage. Là est
le plus grand enchantement et aucun dessin, aucune
image fixe ne peut rivaliser. Il faudrait le cinéma.
Il rentre les bêtes, et puis tente quand même d'es-
quisser une montagne mutante, un blanc brunis-
sant verdissant de la gauche de la feuille vers la
droite, un dégradé de l'hiver au printemps, des
fleurs marron, verdâtres et jaunes dévorent le tiers
droit du dessin. Une représentation figée du mouvement. Tout au bord, il trace un grand point d'interrogation.

Début mai, Éloi annonce :

— La dernière avalanche est descendue. Demain on ouvre le col.

Vincent le comprend, le printemps, ici, on n'y croit vraiment que quand le col des Montets est ouvert. Dans l'almanach de l'année dernière, la date de l'ouverture du col est inscrite en noir et soulignée trois fois. Éloi sifflote en touillant sa soupe. Il se réjouit. De quoi ? Qu'est-ce que change l'ouverture du col ? Vincent réfléchit : maintenant, tu peux passer à pied. Mais à pied tu passais déjà, par le tunnel du train, le chemin du col est même plus long. Ça fait venir des voitures. Quelles voitures ? Il n'y a pas de voitures, à part les véhicules des Italiens, en tout cas il n'en a pas vu. Qui d'autre viendrait jusqu'ici ? Dans quel but ? Tu te cognes contre une frontière juste après Barberine. Qui de Vallorcine s'en irait promener au-delà du col, et pour quoi faire, avec les bêtes à nourrir et à traire, les travaux des maisons, les champs à préparer… Le facteur ? Il a le train, et le tunnel. Le maître, les jeudis et dimanches ? Il a le train, et le tunnel. Aucune avalanche n'arrêtera plus le train.

— Si tu veux, tu peux venir, propose Éloi.

Demain c'est jeudi. C'est possible, le matin, avant le caté.

— Qu'est-ce qu'il faut faire ?

— Peller !

Il y a encore un paquet de neige là-haut, contrairement au bas de la vallée, dit Éloi, les couloirs convergent, ça peut tenir un moment. Vincent est intrigué. Quelque chose de gai se prépare, forcément, sinon à quoi bon ces voix argentées, ces gestes vifs, cette hâte palpable du lendemain. Il sait que ses bras maigres pelleront mal, il sait qu'Éloi le sait, il l'invite quand même. Il a peut-être un oncle, en plus d'un Pépé.

Au matin ils partent la pelle à l'épaule. Des hommes de tous les hameaux descendent vers la route, on les voit traverser les champs saupoudrés de cendre pour accélérer la fonte, Vincent est content de marcher avec eux. Quelques Italiens, un peu en retrait, leur emboîtent le pas. Moinette regarde Vincent partir, dépitée, elle aurait voulu venir mais son père a refusé. Il y a les bêtes à s'occuper, il dit, et le col est un travail d'homme. N'importe quoi, sûr que Moinette, qui soulève seule des marmites, des tommes, des hottes pleines de pierres et des bûches pour le poêle pellerait dix fois mieux que Vincent. Ce n'est jamais qui tu es qui compte, c'est pour qui on te prend.

— Je te rapporte de la neige, il lui glisse à l'oreille. De la neige du col.

Le col c'est leur bout du monde, désormais c'est le sien. Il n'a jamais vu le col, même depuis le train qui l'a conduit ici à travers la tempête, Éloi en a seulement pointé la direction au-delà des flocons à la gare d'Argentière. La neige du col sera son or, ou sa soie, ou ses épices de Chine. Moinette hausse les épaules ; de la neige du col, tu parles d'une consolation.

Ils creusent, dégoulinant de sueur, en silence sauf des bruits de métal et de feutre, une machine humaine avec des bras en ailes de moulin qui s'élèvent et s'abaissent continûment. Vincent s'attendait à trouver une neige spéciale. Mais c'est la même neige que dans les creux de l'envers, molle et lourde et mouillée. Une neige sans mystère. Il y en a plus, voilà tout.

Vincent lève quelquefois la tête, scrute la lente avancée de la percée. Il savait la barrière de neige suffisamment solide pour bloquer tout passage, mais il se l'est figurée rétractée par les premières fontes et la cendre, sans épaisseur ou quasi, fichée dans le col à la façon d'un pont-levis. Il croyait qu'un col s'ouvre comme saute un verrou, d'un coup et par la force. Mais le col est une zone indécise. Elle commence au niveau de la route, après la gare du Buet à l'aplomb du tunnel, ou plutôt le cantonnier décide qu'elle débute là, plantant d'un coup sa pelle pour marquer le début du travail. Puis elle s'élève en pente douce, en méandres larges, on n'en voit pas le bout. Ils creusent. Il en faudra des pellées pour dégager la zone entière jusqu'à ce point flou qu'on appelle le col, à 1 461 mètres d'altitude a dit Éloi, et la même pente redescend peut-être de l'autre côté, étirant le territoire à peller. En tout cas, aujourd'hui Vincent ne verra rien. Il fixe ses pieds, la pelle, la neige et ses socques trempés. Il essaie de se caler sur le tempo d'Éloi mais Éloi travaille sans relâche, l'outil greffé à son bras, il a creusé tous les hivers de sa vie, ses seules traces d'effort sont le son sourd qui passe ses lèvres et la ride à son front. Quand les tendons de Vincent tirent à claquer, que sa gorge brûle, qu'il sent des serres d'aigle agrippées à ses reins, il se redresse en grimaçant et s'appuie au manche de la pelle. Il regarde. Il n'y a rien qu'une petite tranchée qui progresse. La main d'Éloi se pose sur son épaule.

— C'est bon, tu peux y aller. Faut que tu manges avant le catéchisme.

Il espérait mieux. Mieux, c'est-à-dire étonnant, grandiose, bizarre, il rentrera bredouille, sans rien à raconter. Vincent saisit une poignée de neige. Il se demande si ça vaut la peine d'en rapporter. Moinette s'en moque mais il s'y est engagé, alors il s'applique à la compacter, forme une boule approximative et se met en marche, pétri de douleurs. La pelle lui pèse, plus lourde à l'épaule que soulevée dans l'élan. La neige fond dans sa main libre alors il triche, ramasse un reliquat de neige au bord de la route. Dix fois il reforme la boule qui ne cesse de fondre. De la neige de talus, de la neige de toit en gros cristaux, de la neige d'ombre. À la Villaz, il n'a que de l'eau à offrir à Moinette. Il fait goutter ses doigts dans sa petite paume. Une goutte glisse de son index en pointe de stalactite. Une autre goutte, qu'absorbe la première. Une troisième.

— T'as rien raté, il murmure.

Moinette fixe un instant le lac miniature au creux de sa peau tiède, l'assèche d'un coup de langue.

Il veut voir le col ouvert. Ce qu'il dévoile. Il y court, un jour que Moinette va chez sa tante au Nant, je fonce il annonce, c'est pas à côté râle Moinette, et il assure tu n'auras pas fini de laver que je serai de retour.

— Y a pas de dragon, elle dit en secouant la tête, y a pas de fée !

Il court, il n'a pas idée de la distance. Il court au-delà du Buet, suit la tranchée basse et sinueuse jusqu'à une sorte de replat. C'est là : *Col des Montets*, indique le panneau rectangulaire. Il reprend son souffle. Il regarde en face le paysage au-delà du col. Il voit des montagnes. L'aiguille Verte et les Drus, un peu dif-férents de la vision qu'il en a eu au Laÿ mais bien reconnaissables. Des reliefs inconnus, en doigts serrés à la droite de son champ de vision. Un plan d'eau bleu de ciel dégèle en contrebas. Il n'y a pas de vallée en face, ou elle est invisible. Il a pourtant traversé une vallée en train, au mois de janvier. La lumière est la même que du côté de Vallorcine. Les couleurs sont les mêmes, dégradé de bruns, noirs, vert foncé taché de blanc. Il s'attendait à quelque chose de neuf, à cause de la date trois fois soulignée dans l'almanach, à cause de l'excitation à la maison, à cause de l'invitation d'Éloi, à cause de son épopée de janvier sous le col soi-disant infranchissable. Il ramasse un caillou, le jette dans l'eau, regarde les cercles s'élargir à la surface, brouiller le ciel et les arbres renversés. Il revoit le visage concentré d'Éloi, des autres hommes dont les pellées mises bout à bout ont fini par tracer un chemin dans le blanc. Il se souvient de l'entrain d'Éloi se préparant à dégager les rails couverts par l'avalanche en plein cœur de l'hiver, avec le père de Moinette, ou à reformer la tranchée au milieu de la route, ou à creuser avec un voisin un passage pour conduire une vache au taureau. Un éclat similaire à celui de ce matin allumait ses pupilles, qui ne brillait pas quand il pellait autour de la maison. Peller seul autour d'une maison, ça se fait. Mais à dix, vingt mains tu dénudes des rails, tu fais surgir un tunnel dans la neige, tu ouvres un col.

Il pose la question à Moinette :

— Pourquoi tu voulais venir peller s'il n'y a rien à voir ?

— Parce que je ne l'ai jamais fait.

— Et pourquoi ça te plaît que le col soit ouvert ?

— Tu le préfères fermé ?

Il pose la question à Blanche :

— Ça change quoi, l'ouverture du col ?

Elle réfléchit.

— Ça fait venir les monchus !

Il ne sait pas ce que sont les monchus.

— Répète après moi, elle dit, s'interrompant de malaxer la pâte.

— Monsieur.

— Monsieur.

— Môchieu, disent les bourgeois.

— Môchieu.

— Et avec un soupçon de patois : monchu. Les monchus, autrement dit les touristes. Seulement c'est la guerre, les monchus il n'y en a pas beaucoup.

Le soir, ils enlèvent les doubles fenêtres dans toute la maison. Deux millimètres de peau de verre les séparent désormais du dehors. Dans son lit, il pense au col, tandis que la nuit frappe à la vitre sans plus former ni givre ni buée, et que les chauves-souris virevoltent en ombres fantastiques sous les poutres du toit. Maintenant, Vallorcine est reliée au dehors. À Chamonix. À Paris. Et soudain ça lui vient : aux Allemands. Les Allemands ont des voitures, chuchotent les chauves-souris. Du carburant. Des chars. Ils ont traversé les Ardennes, plié sous leurs chenilles une forteresse végétale, rien ne les empêche de grimper une route de montagne où l'hiver s'est un peu attardé. Il veut faire taire les chauves-souris. De toute façon, il rétorque, le col enneigé ne les aurait pas arrêtés non plus s'ils avaient décidé d'occuper la vallée, et ils ne sont pas venus. Mais cette brèche ouverte par les Vallorcins eux-mêmes, sifflent les oiseaux de nuit, ce barrage volontairement levé, c'est presque une invitation. Les rêves de Vincent sont pleins de forêts fracassées, de chars et de chiens et de portes battantes au vent et aux orages.

— C'est sûr, le col est ouvert, il entend, alors qu'il s'apprête à descendre pour pisser dehors.

Il ne fait pas encore jour. La voix de la mère de Moinette monte jusqu'à sa chambre :

— J'en ai eu dix, je sais ce que je dis. Le col est ouvert, tu comprends ?

Il écoute, frotte ses yeux. Évidemment le col est ouvert, qu'est-ce qu'elle raconte, Marie ?

— Il faut l'emmener à l'hôpital, il est trop en avance.

— Comment tu veux qu'on l'emmène... répond la voix étranglée d'Albert. Il n'y a pas de train avant cet après-midi.

— En luge. Ça a sauvé ma belle-sœur.

Sauvé. Qui dit sauvetage dit danger.

— Les Montets sont dégagés mais il y a assez de neige pour une luge.

— Jusqu'à Chamonix ?

— Tu as le docteur à Argentière.

— Éloi, tu peux faire ça ?

Vincent n'ose pas descendre. Il a entendu hôpital, docteur, et l'effroi dans la voix d'Albert. Seulement sa vessie lui fait mal, il n'a pas le choix, il s'avance sur la pointe des pieds. Marie ne lui prête aucune attention, elle parle à Albert, lui demande de préparer des provisions, il n'y a pas de temps à perdre. Elle va accompagner Éloi, il faut une femme avec Blanche. Des gémissements montent du lit dans le pèle. Vincent scrute la pièce plongée dans la pénombre. Il voit la forme du corps de Blanche, son ventre moulé sous la chemise comme si elle avait avalé un ballon. Il n'a jamais vu un ventre aussi énorme, sa robe en masquait le volume. Il avait vu les seins tendre son corsage.

— Ne reste pas là, ordonne soudain Marie, remonte à ta chambre. On te dira quand descendre.

Il se demande si c'est lié au bébé. Il se rappelle la vache transpercée de flèches, les vagues qui soulevaient sa panse gonflée, les liquides et le sang.

— Allez, file !

Il remonte à toutes jambes. Il ne ferme pas la porte, il veut entendre. Mais il n'y a plus de mots. Des bruits de pas, des tiroirs ouverts et refermés, des grincements, des gémissements qui blessent l'oreille. Il serre ses abdos, bande en barrage tous les muscles de son abdomen, inspire, expire. L'urine coule quand même le long de ses mollets en rigoles jaunes, forme une flaque à ses pieds. À un moment les plaintes cessent, et le grand remue-ménage. Les voix résonnent au-dehors, malgré l'absence des doubles fenêtres il ne saisit pas ce qu'elles disent, il ne voit rien à travers la vitre que les champs bleus, les arbres, du ciel. Il éponge l'urine avec sa chemise, la roule dans un coin. Essuie ses jambes à la couverture. Il s'assoit au bord du lit. Il attend. Il écoute. Il entend les voix des voisins. Moinette qui l'appelle, toque à la porte mais personne n'ouvre. Elle est sûrement venue pour l'école. On l'a oublié. Il repense au ventre difforme de Blanche. Il se demande si sa mère a eu le même. Sa mère dont le visage est une tache mauve, maintenant, ainsi que sonne le prénom Sophie.

— Vincent ? finit par appeler Albert.

Vincent s'approche de la porte.

— Oui…

— Viens ici.

Il sent la pisse, il n'a plus de chemise.

— Blanche est partie chez le docteur. Le bébé arrive plus tôt que prévu.

— Elle est partie en luge ?

— Oui. Avant, le docteur suisse venait ici. Maintenant il y a cette fichue frontière…

Ça y est, il sait à quoi sert l'ouverture du col : à faire descendre Blanche en luge jusqu'à Argentière. Il n'est pas certain que ça le rassure, que ce soit moins effrayant que le spectre des Allemands. Blanche avait dit que pour le bébé, elle voulait être à Vallorcine.

— Elle revient quand ?

— Je ne sais pas. On est entre hommes pour un moment. Si tu as faim, il y a de la soupe d'hier sur le fourneau.

Le soir, de retour d'Argentière Éloi annonce qu'un garçon est né. Un garçon vivant. Pas même deux fois la longueur de sa main. Albert regarde sa main à lui, large et courte. Il cligne des yeux.

— C'est pas gros. Et Blanche ?

— Faible.

Vincent n'ose pas demander si l'enfant a un nom. Un bébé si petit, ça ne s'appelle peut-être pas. À l'église, on prie pour lui et pour sa mère, même Albert. Puis Albert prend le train, rejoint sa femme. Vincent l'accompagne jusqu'au chef-lieu, porte son sac à cause de sa patte folle. Sur le retour, il fait ce qu'a commandé Albert avant que le cantonnier passe l'arrosoir à goudron pour boucher les trous de la route : il ramasse les clous tombés des socques cet hiver, réapparus avec la fonte, on ne doit pas gâcher. S'il trouve dix clous avant la Villaz, il décide que Blanche guérira.

Voilà, la neige ne coiffe plus que le haut des aiguilles Rouges. Elles ont un air de ce gâteau marbré crème et chocolat qu'on appelle forêt-noire, un gâteau de fête d'il y a longtemps. Dans la vallée, les akènes plumeux des pétasites et pissenlits en graine tiennent lieu de petite neige, et les myriades de pétales pâles pointillés sur les prés, et les merisiers en fleur dressés sur les murgers.

— T'as jamais vu de poutys ?

Moinette plante un bout de branche dans les boucles de Vincent.

— T'es tout triste. Tu as de la chance d'avoir un petit frère.

— C'est pas mon frère.

Pour l'instant le bébé est une chose transparente et informe, il n'a pas de nom alors il n'y pense pas. C'est Blanche qui l'inquiète. Il se demande si le ventre est dégonflé. Il a l'image d'un ballon mou, de Blanche toute flasque au milieu du corps, si la blessure est refermée. Il a de la chance de ne pas être une femme. Il n'a jamais vu le ventre de sa mère, si ça se trouve Sophie aussi a un ballon crevé à la place du ventre et une entaille à l'intérieur. Du rouge dans le mauve. Il songe qu'un jour Moinette sera une femme. Tandis qu'ils rentrent les bêtes il regarde ses mains de poupée, ses dents à peine limées, il ne peut pas le croire. Elle aura ce ventre, cette entaille et ces flèches dans son ventre. Il a soudain pitié de Moinette, de son destin. Il voudrait l'empêcher de grandir, d'arriver à ce point de l'existence. En Chine on bande les pieds des petites filles pour qu'ils restent des pieds d'enfant, il l'a appris. Il s'imagine le corps de Moinette entièrement momifié, une petite camisole pour lui épargner le pire puisque le pire est sûr.

— Allez monsieur Triste, on va ramasser des grenouilles.

À l'évidence elle ignore son sort. Ou bien elle s'y résigne. Ça le scie que ça l'indiffère, qu'elle propose une chasse aux grenouilles, par exemple, sachant ce qui l'attend. Que ça ne l'empêche pas de rire, de rêver à des chapeaux piqués de plumes chatoyantes, de se réjouir d'être une dame un jour, quitte à se faire transpercer le ventre.

— On dit à Émile et à Jeanne de venir, on fait une énorme fricassée de grenouilles !

Le dégoût prend le pas sur l'anxiété, il grimace.

— Oh non, tu n'as jamais mangé de grenouilles...

— Si c'est une sale blague encore, comme les œufs, je t'attache les bras et je te la fais manger crue, la grenouille, yeux compris !

En vérité il voudrait le dessiner, là, tout de suite, ce corps baigné de soleil, maigre et intact, le figer. Il le photographie dans sa rétine, ce soir avant de s'endormir il tracera de mémoire sa silhouette sur fond de poutys en fleur.

Ils dénichent les grenouilles près des flaques, dans la vase, sous les pierres au bord des ruisseaux, de la rivière où le fracas de l'eau oblige à monter la voix, et dans l'herbe bien verte. Ce n'est pas un jeu, c'est un travail, comme les pierres, comme les bêtes, une mission de nourriciers.

— N'écrase pas l'herbe, répète Moinette le sac sur l'épaule, collant un pied derrière l'autre à la façon d'une funambule. Faut pas gâcher.

Et elle lui apprend à soulever les pattes arrière, les grenouilles glissent entre ses doigts comme des savonnettes.

Il n'a pas peur pour Blanche tandis qu'ils remplissent les sacs de batraciens. La toile épouse leur masse molle et mouvante, les agglomère en une forme indécise aux cent bouches coassantes. On dirait qu'elles crient grâce, devinant leur sort. De retour à la Villaz, aidés par un frère de Moinette, ils introduisent des aiguilles dans le fourreau de la colonne vertébrale et les quatre pattes s'étoilent d'un coup.

— C'est ma méthode personnelle, dit le frère de Moinette, façon taxidermiste. Il n'y a qu'à inciser dans le sens de la longueur maintenant, puis en deux temps, droite, gauche – il tire de chaque côté sur la peau – tu la déshabilles.

C'est affreux. Il n'a pas peur pour Blanche tandis qu'il tranche les têtes, des tas de têtes gluantes qui tombent dans un seau de bois. Il n'a pas peur pour elle alors qu'il dépiaute les petits corps flasques bien que ça lui soulève le cœur, il ne veut pas avoir l'air d'une mauviette. C'est seulement des grenouilles, qui meurent. S'il arrive au bout du sac sans faillir, Blanche guérira. Le soir, il mord dans les cuisses brûlantes et dorées à la poêle, croustillantes au-dehors, fondantes au-dedans, un tel délice justifie le massacre – et il n'a pas failli.

Et le printemps avance. Le vert gagne partout, toutes les sortes de verts. La lumière découpe la vallée, les versants en verts contradictoires, langues dorées, émeraude, presque noires, et changeantes selon l'heure, la hauteur du soleil. Vincent contemple ce nuancier fluctuant qu'éclaircissent ou foncent tour à tour les crêtes, les pics et les nuages. Les larzes ont des aiguilles neuves plus claires que celles des sapins. Au bout des branches des sapins poussent des bourgeons quasi jaunes. Les orties vert menthe pullulent autour des tas de fumier, se couvrent de myriades de chenilles. L'herbe chatoie de reflets bleutés, des pluies accablantes la ravivent tous les deux ou trois

jours. C'est bon pour les foins, dit Louis, quand Vincent revient trempé de l'école et des prés. Ça l'étonne, lui, que la saison progresse malgré l'absence de Blanche. Qu'elle ne l'attende pas. Vallorcine sans Blanche ça n'a pas existé, il voit le trou dans le décor. Les populages jaune d'or fleurissent en massifs près de l'eau comme si de rien n'était. Les buissons de myrtilles se couvrent de baies roses, les myosotis jaillissent contre les bassins, Rouquine les happe en une bouchée. Les crocus font des feuilles, les tacounets font des feuilles, les saules font des feuilles, toutes d'un vert singulier. Les graminées ondulent en chevelures de verts presque blancs, presque gris, presque mauves, ce sont des canches, des dactyles, des fétuques, des houques et des phléoles, bien sûr il en ignore les noms mais il en éprouve l'énervant frôlement contre ses mollets. Une fois, juste avant qu'on retourne les champs, Louis emmène Vincent cueillir des feuilles au bas de la maison. Du vert aux formes rondes, ou allongées, ou dentelées, achillée, alchémille, oseille, grande berce aux contours aiguisés, aux goûts de citron, d'épinard ou d'asperge – le gaillet, dit Louis, et il lui tend la tige à croquer. Ils en font une salade sauvage, y jettent une poignée de champignons creusés d'alvéoles que Louis appelle morilles – une salade de bronches, pense Vincent.
— De la cuisine d'homme, petit. Rien à faire ou presque : un œuf par-dessus et le tour est joué.
Ne casse pas les jaunes au fond de la poêle, supplie intérieurement Vincent, ne les casse pas et Blanche sera bientôt rétablie.
Dans la forêt, des plantes velues en forme d'hippocampes libèrent des fougères vert vif, vestiges peut-être du temps où la mer couvrait tout, fossiles

végétalisés d'animaux marins. Si demain celles qui poussent en face de l'école déroulent leurs premières feuilles, Blanche guérira.

Blanche n'est pas rentrée quand ils commencent à retourner la terre, à préparer les champs de patates, éventrant de brun le vert dominant. Les enfants aplatissent les taupinières bourrées de cailloux, les entassent sur les murgers, et ce faisant Vincent aperçoit ses premières taupes. Leurs petits corps mous, lisses, veloutés qu'en pressant sous le pied on croirait pouvoir faire éclater comme des outres. Il voit le sol découpé en bandes, des rectangles herbeux déplacés morceau après morceau comme une moquette du bas vers le haut des champs où l'épaisseur de terre est si mince, complètement érodée par la pente. Pas de machine, pas de charrue, pas de bêtes de trait. Seulement des bras, des mains, des outils au bout, des gestes précis et d'envergure étroite à l'infini réitérés. Des champs cultivés comme des jardins, se dit Vincent, se rappelant la délicatesse du jardinier penché sur les platebandes au square des Batignolles. Sauf qu'ici, le défi est d'arrimer tes plantes de pieds au dénivelé, les versants abrupts testent à chaque instant ton sens de l'équilibre. Les Vallorcins sont des danseurs. Comme les autres enfants il étale le fumier. Il laboure la terre à côté de Louis avec un solévieu, les reins en feu pareil qu'à l'ouverture du col. Juste avant, Moinette arrache des poignées de fleurs bleues, en conserve les racines dans sa hotte :
— Les raiponces, elle dit, c'est meilleur que les salsifis.
Les réponses, il entend. Les réponses c'est meilleur.
Le travail des champs découvre les bras, les coudes, les peaux cachées surgissent des manches relevées. Vincent détaille les corps d'Albert et d'Éloi,

tellement identiques s'il n'y avait cette claudication d'Albert. À force d'observation, il a déjà remarqué l'arc plus doux du sourcil gauche d'Albert, les narines resserrées d'Éloi. Les dents plus courtes d'Éloi. La lèvre supérieure d'Albert se soulève quand il prononce les "J", rouge, journée, gouge. Il a un pinceau de cheveux blancs à la lisière du front. Maintenant il y a des grains de beauté, des cicatrices, pour les différencier, un jeu des sept erreurs dont Moinette et lui allongent sans cesse la liste :

— Éloi a une marque en étoile au-dessus du coude droit.

— Et l'os qui ressort, là, le petit rond à la base du cou.

— Il a les coudes secs comme la craie.

— Albert a la peau plus pâle.

— Des chevilles plus épaisses.

— C'est à cause de sa chute.

— Tu crois ? Il a des nœuds de grosses veines aussi, on dirait des vers…

— Éloi a des poils dans le col de la chemise.

— Et des biceps comme ça.

Ils jettent à la volée des morceaux de tubercule.

— Prends un capion.

Vincent imite Moinette qui ouvre la terre avec les deux canines géantes, y enfonce les tubercules. Il compte, si à trente j'en ai enfoui quatre, Blanche sera bientôt de retour.

Elle n'est pas rentrée quand ils sèment le lin pour éloigner les doryphores.

Elle n'est pas rentrée quand les cochons arrivent par le train, il va chercher le leur avec Éloi. Éloi a consulté l'éphéméride avant de descendre à la gare, elle a beau être condamnée d'ici à Noël, il faut bien la nommer, cette réserve à saucisses.

— Je te présente Justin ! il dit, le cochon dans les bras. Moinette aussi a un cochon. Il s'appelle cochon, comme chaque fois. Cochon 24, elle précise, du nombre d'années de mariage de ses parents. Les cochons ont un nom et pas le bébé de Blanche, c'est dire s'il est dur d'y croire à cet enfant. On fabrique au cochon un boiton, Vincent en cloue lui-même les planches, il cohabite avec les vaches, avec Rouquine, les poules et le mouton. La mère de Moinette fait sa soupe, Vincent lui rapporte des feuilles d'orme, et on lui donne l'eau de vaisselle faite exprès sans savon. Blanche n'est pas rentrée pour la première marmotte. Une marmotte à peine sortie de l'hiver, des mois alentis à douze mètres de profondeur, cinq battements de cœur par minute, toute maigre dans sa peau. En pyjama trop grand. Pas une marmotte chassée, elles ne sont pas grasses encore, Éloi l'a trouvée blessée, la patte saignante, et l'a achevée. De la viande fraîche, il dit, mâchant la chair au goût de vase, c'est pas tous les jours.

Elle n'est pas rentrée à la première truite, pêchée dans l'Eau Noire par le frère de Moinette. Chez Blanche, on n'aime pas la truite. On ne dit pas truite d'ailleurs, on dit poisson, on n'en connaît pas d'autre, seule Blanche sait ce qu'est la mer.

Mi-mai, quand le muguet commence à fleurir, Blanche n'est pas rentrée.

— Épervière, daphné, verges d'or, murmure Martin. Vincent laisse mollement surgir ses couleurs intérieures. Mais celles qui cognent ses pupilles, directement inscrites dans le paysage, dissolvent toutes les autres. Il n'y a plus une once de neige en haut des massifs, plus de blanc. Le mystère tenait à la neige. Au blanc. Le blanc était la toile. La toile est devenue le tableau.

— Rousserole, orchis, rouge-queue…

Il sait maintenant que les rochers des Saix Blancs ne sont pas blancs, les aiguilles Rouges pas rouges, les aiguilles Vertes pas vertes, que l'Eau Noire n'est pas noire. Il connaît les couleurs et les formes réelles, les proportions et les volumes. Il a vécu mille premières fois en quelques semaines, mille premières fleurs, arbres, feuilles, fougères, mille premiers lichens, oiseaux et bêtes terrestres, textures de roches, couleurs, nuances et reflets, autant d'épiphanies qui ont eu raison des conjectures, il n'y a plus rien à deviner. À quoi bon dessiner ce qui est visible ? Chaque jour le paysage se précise, répond à toutes les questions, même celles qu'il ne se formule pas.

— Je vois trop de choses maintenant, Martin.

Les peintres de la montagne sont si souvent des peintres de la neige, Vincent ne s'en étonnerait pas. L'été, les reliefs en blocs de lumière résolvent toutes les énigmes. C'est l'érotisme de la neige qui excitait Vincent. On dit qu'une fois le tableau achevé, Klimt rhabillait ses personnages de robes et manteaux d'or pour que le spectateur les dénude, imagine les formes et les histoires cachées. La neige était la robe, le manteau de la montagne.

Bien sûr il y a encore de l'hiver dans la vie de Vincent. Il ne sait pas où est son père. Il ne sait pas où est Jean. Il n'a pas de nouvelles de sa mère. Il ne sait pas si Blanche reprend des forces. Il ne sait pas si le bébé existe vraiment. Mais dans ce blanc-là il n'ose pas se risquer, par intuition de ne pouvoir échapper au tragique. Et puis le printemps est si bien accordé

à l'enfance, pure nouveauté, pur mouvement, il tient
la mort à distance. Vincent se moule à sa légèreté.
— Tu connais Tirésias ? demande Martin.
— Non.
Martin raconte. Tirésias surprend la déesse Athéna
se baignant nue dans une source. Pour le punir elle
le rend aveugle. Finalement prise de pitié, elle lui fait
l'ouïe si fine qu'il comprend le langage des oiseaux,
et lui offre un bâton de cornouiller pour marcher
comme ceux qui voient. Et une peau ultrasensible,
ce n'est pas dans la légende mais Martin le croit, et
un odorat d'exception.
— Vois comme un aveugle. Avec ta peau, tes oreilles,
tes narines, tes papilles. Dessine en aveugle. Dessine la douceur de l'herbe, donne-lui une couleur.
L'amertume du pissenlit. Le froid de la rivière.
L'odeur du fumier.
Il voit déjà avec sa peau, sait en déduire le paysage.
L'odeur des conifères mute selon la proximité de la
roche, l'ensoleillement. La fraîcheur de l'air atteste
de la présence de l'eau, de l'heure. La pierre humide
prédit la pluie. La nature du sol sous ses semelles
signale la rivière, le champ, la sente. Les cliquetis
d'insectes, les pépiements d'oiseaux annoncent le
matin et la tombée de la nuit. Les sons reviennent
en boomerang dans le monde minéral, la végéta-
tion les absorbe. Parfum, ensoleillement, tiédeur,
humide chatoient timidement dans son cerveau,
violet, bleu électrique, viride, rose, qu'en faire sinon
des seules taches de couleur. Transcrire la sensation
par le dessin, il ne veut pas. Ça l'abîmerait. Rien
n'est plus désirable, voluptueux, que la sensation
immédiate.
— De toute façon je n'ai presque plus de crayons.

C'est vrai, l'hiver les a usés. Martin semble déçu. La fixité de ses globes oculaires, la cataracte qui les voile lui donnent un air extraterrestre. La tristesse s'arque en courbes exagérées à sa bouche et ses yeux. Il se dit que le printemps spolie Vincent en exhibant la vallée, abaisse ses paupières intérieures. Seulement Vincent adore cette invasion du dehors, la volupté du rapt. Les crayons ne lui manquent pas. Il est la glaise. Si on l'appréhende en aveugle, ce corps plus tout à fait d'enfant, c'est-à-dire à tâtons, décomposant la masse en volumes séparés, on le découvre maintenant modelé par la montagne. À cause du dénivelé, des trajectoires sinueuses entre les champs éparpillés, il a des muscles en forme de petits pains à la place des mollets. Des cuisses bosselées par les sauts et les courses. Des biceps sculptés, mobiles sous la peau, des épaules galbées par la hotte, le ramassage des pierres, le capion et le solévieu. Des griffures fines comme des cheveux strient ses bras, des hématomes tatouent noir et jaune sa peau, il a des cicatrices aux genoux, des empreintes de pierres, des trous d'échardes. Dans l'éclat de miroir au-dessus de l'évier, il voit les boucles blondies battre son front. Sa peau hâlée où le soleil a effacé les écheveaux de veines. Ses lèvres noires. À la base du cou, un V de chair blanche le raccorde un peu au corps d'avant, à l'autre vie. Le peintre est devenu tableau.

Blanche n'est pas rentrée quand les chèvres et moutons de la vallée montent à la Poya, une poignée d'écuries en surplomb de la gare du Buet où elles resteront jusqu'à l'automne. La Poya, c'est Olga, il ne le sait pas encore.

Les chèvres trottent en agitant leurs cornes, petites vieilles pressées, pense Vincent, poils au menton, mâchoire nerveuse, voix grêle, et leurs sonnailles cliquettent comme des bijoux sous les sifflets et les claquements de langue. Les moutons font des taches moelleuses au milieu du troupeau. Moinette rabat à coups de badine le mouton et la chèvre de Blanche, Seguine sa chèvre à elle et la chèvre de sa tante tentés par les buissons de myrtilles.

Avec la Poya, l'île haute est encore agrandie. L'herbe y est drue, on n'y trouve ni champs ni jardins. En arrière-plan, des montagnes encore blanches ravivent l'image de l'hiver. En haut de la pente, Vincent devine une fente dans la roche, un vallon à peine esquissé où serpente un torrent. Des gorges peut-être. Et si tu tends l'oreille, en plus du vent de Bérard tu entends le fracas d'une cascade. Cascade, noir brillant.

— Là-bas, dit Moinette en tendant sa badine, c'est le mont Blanc des dames.

Là-bas est trop vague pour désigner un relief en particulier. Il imagine une cordée de femmes pointillée dans le blanc, leurs grandes jupes noires gonflées de vent, une ligne de fourmis à l'assaut de la montagne.

— Pourquoi "des dames" ?

Moinette hausse les épaules.

— Tu peux pas le voir de toute façon.

Toute la jeunesse est à la Poya. Les plus petits bergers ont six, sept ans. Il y a des filles au corsage plein. Des garçons au duvet noir au-dessus de la lèvre qui relèguent Vincent à la catégorie des gosses. S'il tourne sur lui-même, Vincent reconnaît le décor de crèche de l'église des Batignolles, les santons dispersés sur le papier froissé motif prairie-rochers. Sauf qu'ici tout bouge, à l'image des bêtes excitées par l'espace : l'herbe en éclats d'argent, l'air vibrant de pollens, les corps d'enfants qui bondissent et roulent et coursent les bêtes, l'écho démultiplié des voix, des rires, de l'eau, des bêlements.

Une fille est assise à l'écart. Elle fredonne, aiguisant lentement, à l'opinel, indifférente au tempo collectif, la pointe d'un bâton. Dans l'intervalle entre ses incisives, une longue herbe mauve tremble à chaque coup de lame. Ses cheveux tremblent en mèches coupantes contre ses joues. Tremblent le lin quasi transparent de sa chemise, et la croix minuscule à son cou.

— L'Italienne, l'Italienne… murmure quelqu'un, ou bien c'est le vent.

La fille ne lève pas la tête. Elle souffle sur son bâton et la poussière de bois s'éparpille. Elle teste la pointe du bâton. Une goutte de sang perle à son index. Elle lance le bâton en javelot, il se plante droit dans le sol.

— Quoi ? elle demande, fixant Vincent statufié.

Il désigne le bâton.

— Qu'est-ce que c'est ?

— Une lance à truite.

Elle retire l'herbe d'entre ses dents, l'y glisse à nouveau, pensive, efface Vincent de son champ de vision. Puis elle se lève, ôte la lance de sa gangue de terre et se met à peler l'écorce en gestes soigneux.

— L'Italienne, l'Italienne… souffle un garçon.

— Pourquoi l'Italienne ? demande Vincent.

— Devine ! crie le gamin en détalant.

La fille reste impassible. Moinette arrache Vincent à sa contemplation, râlant parce que Seguine fugue dans les rochers.

— Viens m'aider !

Il la suit, le visage à demi tourné par-dessus son épaule. C'est une grande, marmonne Moinette. Elle porte le lait aux Italiens, à l'hôtel du Mont-Blanc, tu ne l'as jamais vue ? Le lait des vaches de son père. Ils débusquent Seguine, il perd de vue la fille. Mais elle est là chaque jour après l'école, l'herbe entre les dents, taillant son bâton au milieu des chèvres. Des enfants s'approchent, tendent leurs doigts vers les étoiles, les fleurs qu'elle sculpte dans le bois.

— Paraît que tu es de Paris, elle dit.

— C'est vrai.

— C'est comment, Paris ?

— C'est… loin.

Elle lève les yeux vers lui.

— Il y a beaucoup de monde, n'est-ce pas ?

— Oui, beaucoup.

Elle ôte une écharde à son pouce.

— Alors on peut vivre au milieu d'inconnus.

— Oui.

— Se perdre.

— Sûrement.

— Disparaître. Disparaître souvent…

Disparaître non. Si c'était possible, ni son père ni lui n'auraient dû s'en aller. Au loin, Moinette fait signe qu'elle l'attend, elle rentre à la Villaz. Il crie qu'il reste. Moinette cligne des yeux, la mèche de cheveux qui barre son front lui donne un air pirate. Il est tard, elle insiste, la badine en sabre en travers de son cœur. Je sais, il répond. Elle se détourne lentement. Elle a des oreilles pour entendre ce qu'il tait, elle voit avec des yeux de chouette.

— Ce doit être agréable, de n'être pas reconnu, poursuit la fille. Toi tu ne te rends pas compte…

Elle taquine son brin d'herbe du bout de la langue.

— Vivre en inconnue parmi des inconnus.

Elle se lève brusquement.

— Pépite ! elle appelle, Pépite ! courant vers la chèvre qui se dirige vers la voie de chemin de fer. Ne va pas encore te faire électrocuter !

Il la regarde revenir la chèvre dans les bras, plus haute que lui d'au moins une tête. Elle n'a ni les angles ni les pointes de Moinette, coudes, genoux saillants, omoplates coupées aux ciseaux, ni les courbes de Blanche, sa taille enchâssée dans le fourreau des hanches, ses seins indubitables. À cause de la brise qui plaque sa chemise, il devine des mollesses en forme de petits flans soudés à ses côtes et cette vision lui sèche la bouche. Elle est mi-Blanche, il pense, corps intermédiaire aux franges de l'enfance. La Poya tout entière est aux franges de l'enfance, il pencherait bien du côté où cette fille bascule. Étrangement, il ne pense pas au déchirement inéluctable, à la douleur de femme qui croît dans son ventre. Il voit seulement la promesse des volumes, Blanche avant Blanche, en train de devenir Blanche, la mue en train de s'accomplir, il se sent initié.

— Olga ! hèle un homme.

La fille se retourne.

— Tu passeras chez Mémé avant de rentrer.

Olga, il murmure.

— Olga Ancey.

Encore une Ancey.

— Toi, elle dit, tout le monde sait qui tu es. Comment c'est chez toi, à Paris ?

Il a l'image de leur logement, l'étroite cage d'escalier aux relents de cire et d'urine, le tapis gris flottant où il se prend les pieds, les jardinières de géraniums rouge vif derrière les vitres, juste au-dessus de l'entrée de l'immeuble dont la porte claque cent fois par jour, la bassine en zinc bourrée de couvertures qui est son refuge pour dessiner. Évidemment il décrit l'appartement Dorselles, la moquette en fleuve carmin qui épouse parfaitement les marches jusqu'au sixième étage, la rampe lustrée, les hautes fenêtres du salon ouvertes sur une couronne de platanes, la bibliothèque, une baignoire en émail trône au centre d'une salle de bains carrelée.

— Et ton père ?

L'atelier de cordonnerie surgit alors qu'il évoque un père assureur. Joseph n'a jamais vu de tricounis, il pense, elles lui auraient plu ces extraordinaires chaussures fabriquées par Albert, renforcées de pièces de métal pour chasser le chamois jusque dans les rochers, sur les névés, mais son père officiel travaille dans un bureau, porte un costume-cravate, conduit une voiture, il est souvent absent à cause de ses affaires, enfin il croit.

— Et ta mère ?

Il a une mère qui chuchote, doute, vieillit à vue d'œil, elle a des tempes grises, des paupières molles. Une mère qui dort mal, ignorant si elle doit ou non coudre une étoile à leurs vestes. Mais il décrit Françoise, une femme – roseau qui sait jouer de la harpe, la harpe il l'invente, emporté par son récit, alors les phalanges d'Olga lâchent le couteau, pincent des cordes imaginaires. Prince Vincent Dorselles des Batignolles, il endosse le rôle, caricature de sa propre fiction.

Moinette leur tourne autour. Tu as des bêtes à garder. Viens chercher Seguine. Le mouton s'est coincé dans les branches. Elle pique des morceaux de tomme sur des brindilles, les fait tiédir au-dessus d'un petit feu. Tiens, elle invite Vincent doucement, on partage. Elle s'obstine à construire la cabane où il n'y a de place que pour eux, et qu'aimanté par l'autre fille il ne cesse de déserter.

— Fais-moi visiter les grands magasins, demande Olga.

L'été dernier, des touristes lui ont offert une poupée de porcelaine du Bazar de l'Hôtel de Ville. Une vraie, au teint pâle, joues rosées, anglaises blondes. Vincent connaît seulement les Galeries Lafayette et le Printemps où les Dorselles l'envoient quelquefois faire une course, il y a déambulé comme on va au spectacle, ça fera l'affaire. Il décrit les balcons étagés du sol aux coupoles, les vitraux multicolores pleuvent au-dessus de ta tête. Olga interrompt la taille de son bâton, fixe l'herbe où apparaît sûrement une sorte de palais. Il ne dit pas que les vitraux ont été ôtés à cause des bombardements, et il ajoute du marbre, des dorures, des odeurs de sucre et de parfum précieux.

— Il y a un couvre-feu, à Paris ?

— Ben oui.

Il a peu de souvenirs du temps de paix, mais puisque la bouche d'Olga prononce le mot Ville lumière, il allume dans les nuits ordinaires des milliers de lampadaires, des phares, des torches, des lustres aux fenêtres des appartements, les rues scintillent comme elle en rêve. L'Italienne et l'Italien, rigole Émile en redescendant vers le Mollard.

Elle veut qu'il parle du cinéma. Elle n'a jamais été au cinéma. Une projection au presbytère, ce n'est pas du cinéma, hein ? Il ne sait pas quoi dire, égrène des titres de films dont elle n'a pas idée. L'écran, il est grand comment ? Il écarte les bras, fait cinq pas. Et le film, il tombe d'où ? Et les sièges, il y en a beaucoup ? Ça dure longtemps, un film ? Tu peux le voir combien de fois ? *La Fille du puisatier*, il l'a vu quatre séances le premier jour, quatre fois un autre, trois fois encore, il le connaît par cœur, si elle veut il peut lui faire le film, les dialogues, tout. Vincent devient bavard, il se soûle de sa propre voix, de sa puissance. Il emporte cette fille exactement où elle le désire, il est tapis volant.

— De quoi vous parlez ? finit par demander Moinette en fouettant l'air de sa badine.

— De Paris.

De Paris ? Alors ce n'était que ça ! Aussitôt elle se met à questionner Vincent, croyant lui plaire, veut qu'il décrive tout, sa chambre, son école, sa mère, son père, son frère, son quartier, elle s'invite chez lui. Elle veut poser plus de questions qu'Olga, elle veut les poser avant elle, elle veut les poser toutes. Il la trouve petite, Moinette. Elles sont étroites, ses questions. Il répond par bribes, elle renonce, à court d'idées.

— Elle te dit des secrets ?

— Quels secrets ?

— Je ne sais pas… De l'hôtel du Mont-Blanc. Des Italiens.

— Non.

— Et toi, tu lui en dis ?

Il secoue la tête.

— Tu lui as montré ton médaillon ?

— Non !

Elle ne le croit pas. Il faut bien un foyer à ces braises au fond de ses pupilles. Que pèsent ses maigres secrets de fille face aux mystères d'une grande ?

Elle rivalise. Lui révèle la grotte à Farinet au-dessus de la cascade de Bérard, un Robin des montagnes qui distribuait aux pauvres de fausses pièces et s'est un temps caché là, puis a sauté dans le vide plutôt que de se rendre aux gendarmes. Le conduit à la pierre des bergers, lui montre les noms et dates de leurs passages gravés dans la roche, dont certains remontent au siècle précédent. Ce sont des faux secrets, Vincent sait qu'à part lui tout le monde ici en connaît l'existence. Elle surenchérit, fait appel à la nuit, aux fantômes et aux morts. C'est son domaine, là elle n'a pas de concurrence. Elle redevient chouette, voit sans être vue. Dans le noir, elle raconte les ombres descendues à la lune depuis les montagnes de Balme et de Barberine, qui entrent dans les maisons, en ressortent les hottes pleines de provisions puis soudain s'évanouissent. Elle dit qu'un homme est allé acheter du chocolat et du tabac suisse, longeant Barberine par la forêt verte. On ne l'a pas revu.

— Tu inventes.

— C'est mon cousin, je n'invente pas. Ne le dis à personne.

Elle parle d'une femme trouvée par son père là-haut du côté d'Emosson, à l'aplomb de Barberine, muette et nu-pieds. Elle est restée chez eux trois jours à manger et dormir, puis elle a disparu.

— Ce n'est pas vrai Moinette, je l'aurais vue.

— Tu ne l'as pas vue.

Au col au-dessus de Barberine, un homme s'est jeté d'une falaise par peur d'être arrêté par les douaniers. Un autre a été retrouvé mort dans les rochers. Cet hiver, autour de Barberine, on a vu des cadavres d'inconnus gelés. Il fronce les sourcils, il était là pourtant, lui aussi.

— Ne le dis à personne.

Il ne connaît rien de Barberine, à sept cents mètres à vol d'oiseau de la Villaz, au seuil du monde sans guerre. Il n'y est jamais allé. Rien, sinon que le Rant, le plus dangereux des couloirs d'avalanches, coupe le hameau du reste de la vallée l'hiver, c'est pourquoi on y trouve une école même pour quatre élèves. Une seule fois il manque la Poya, manque Olga, à cause de Barberine, parce que l'abbé Payot lui demande de l'y accompagner pour y faire communier une malade, et que les récits de Moinette ont piqué sa curiosité. Il se souvient aussi des mots de Marie-Marthe, une fille de Barberine, quand au catéchisme l'abbé avait demandé : racontez un moment merveilleux. Vincent n'avait pas su quoi dire, sa vie était si neuve, s'il était Vadim il choisirait le jour des crayons de couleur offerts par le voisin, ou bien Rosh Hashana, seule fête juive vaguement célébrée chez les Pavlevitch, non pour le rite mais en mémoire du grand-père Jacob mort un jour de nouvel an, son père chante alors dans une langue oubliée, allume des bougies, trempe une pomme dans le miel ; mais comme il est Vincent il avait opté pour le premier jour de ski, la descente du champ contre le ventre de Blanche. Elle, la fille de Barberine, avait répondu : quand ma mère dénoue son tablier. Avec quelle grâce cette femme devait accomplir ce geste pour que Marie-Marthe l'élise entre tous son moment merveilleux.

— Parce qu'alors je sais qu'on va rendre visite aux cousins du Sizeray.

Le Sizeray était ce qu'elle connaissait de plus beau, à cause de la vue ouverte sur les Aiguilles alors que Barberine borde des gorges, un trou écrasé sous le mont Bel Oiseau. C'était ça l'enchantement. Pas le nœud défait du tablier, mais la promesse du départ. Quitter Barberine. La possibilité du ciel.

Il pense au tablier tandis qu'il marche vers la frontière. À chaque pas il a le sentiment de resserrer le nœud dans le dos de la femme, dans son dos à lui, ça l'excite et l'effraie.

— Tu es content Vincent ? Tu te fais à Vallorcine ?

— Oui, je crois.

— Tu as des nouvelles de tes parents ?

Il ignore ce que sait l'abbé, à quels parents il fait référence. L'abbé connaît sœur Cécile, la cousine des Dorselles qui a pris le train depuis Paris avec lui et qui lui avait demandé de lui transmettre ses amitiés.

— Oui, j'ai reçu une lettre.

— Bien.

Ils butent contre d'énormes racines. Ils traversent le Rant, un chaos de troncs couchés, brisés net en échardes grandioses jusqu'au bas de la vallée, preuves de la puissance des coulées. Ils atteignent le hameau, un groupe de maisons enclavé. Vincent songe aux cadavres et aux spectres, rouge sombre est Barberine, cernée d'une épaisse forêt. Il voit une rivière. Un petit pont barré de barbelés en son centre. Un mètre de barbelés facile à contourner au milieu d'un étroit cours d'eau. La frontière, dit l'abbé. Vincent a envie de rire, il ne peut pas le croire. Ça, la frontière ? Le territoire hanté des récits de Moinette ? On dirait une ruine de frontière oubliée sur une carte ancienne. Une farce. Tout autour le passage est libre, des libellules suspendues hésitent entre les deux rives.

L'abbé salue un homme assis au bord de l'eau. L'homme saute sur un caillou, traverse la rivière sans un regard pour le pont en aval.

— Qu'est-ce que tu fais, Pierre ? demande l'abbé.

— Le soleil a tourné.

— Tu es en Suisse. Reviens.

— Je ne compte pas fuir, ne vous inquiétez pas, je n'ai pas de raison, je suis trop vieux pour le service en Allemagne et je suis catholique !

— Reviens maintenant.

— Après cinq heures le soleil devient Suisse… On ne m'arrêtera pas pour un vol de rayons ?

L'abbé essuie lentement ses lunettes dans un pan de soutane, ses mains tremblent.

— Je t'attends.

Vincent scrute le plus loin possible au-delà du mètre de barbelés. Pas de soldats, pas de véhicules, juste de la montagne et de la forêt derrière un pont de rien du tout. Pourtant l'abbé a peur, trahi par la contraction de ses mâchoires. Sur la rive d'en face, l'homme se lève à contrecœur, ajuste sa casquette.

— C'est que pour vous faire plaisir, monsieur l'abbé. Salut soleil.

L'abbé le regarde passer la rivière et regagner l'ombre ses chaussures à la main, il ne le lâche pas des yeux, comme s'il était relié à l'homme par un fil invisible et le tirait lui-même hors de l'eau. Ne fais pas l'idiot, il dit à l'homme qui lace ses chaussures, tu n'en as pas besoin, toi, de la frontière.

Qui a besoin de la Suisse, se demande Vincent, à part les réfractaires au travail en Allemagne ? Est-ce que l'ancien instituteur de Barberine, qui ne voulait pas y aller, est en Suisse ?

Ils repartent vers l'ombre, silencieux, cernés de trolls et de menaces sans nom et le torrent s'écoule en affreux borborygmes. La mourante reçoit la communion, ils s'en vont.

— Et vous, ose tout d'un coup Vincent sur le chemin du retour, vous avez des nouvelles de mes parents ?

L'abbé s'arrête.

— Pas plus que toi. Si ça ne va pas, il dit, tu sais où me trouver.

Quand surgit le Mollard en haut du chemin, des mots de sorcière tournoient dans la tête de Vincent, Barberine – Barbare – Barbe-Bleue – Baba Yaga. Il a hâte de retrouver la Poya. La Poya et Olga. Le soleil.

Même sous la pluie continue il a hâte. La pluie qui fait liquide l'air, on pourrait le boire. Ils sont trempés, les capuches rabattues en vain dégouttent en supplice sur leurs fronts inclinés. On dirait des petits moines. De toute façon pas question de se défiler, les bêtes doivent manger. Les moutons se moquent de l'averse, au sec sous leur toison épaisse. Les chèvres frémissent, cherchent les arbres, elles ont le poil aussi fin que ça, dit Olga en passant les doigts dans ses mèches en casque. L'ennui quand il pleut c'est qu'on ne peut ni faire du feu, ni tailler un bâton, ni jouer aux osselets. On attend que les bêtes broutent, les yeux rivés aux rigoles et aux flaques où le blanc se mire, en espérant une éclaircie. De l'attente pure. L'eau coule dans la nuque, imbibe les vêtements, fonce le bout des chaussures, fait les doigts vieux. Interminable averse. Soudain elle s'abat si dru qu'elle grêle le dos, force les yeux à plisser. Les chèvres fuient vers les écuries, les enfants détalent à leur suite. Ceux qui ont des moutons endurent encore, et parmi eux Olga, Moinette, Vincent, minuscules protubérances sur la pente de la Poya. Le vacarme tambourine à leurs tempes. Olga articule des mots inaudibles.

— Qu'est-ce que tu dis ? demande Vincent.

Elle en a marre, elle va aux écuries. Pas moi, dit Moinette à Vincent sans lever la tête, je ne laisse pas ton mouton. Il entend tu désertes. On n'a qu'à le remonter, le mouton ? Il doit manger, elle rétorque, et nous on doit le garder. Elle fixe le sol, butée.

— Faut pas le laisser, c'est tout.

Me laisse pas il entend. Il regarde en direction des écuries. La pluie absorbe déjà la silhouette d'Olga. Il se lève.

— Allez, viens !

Moinette secoue la tête.

— Viens je te dis !

Tant pis. Il court à toutes jambes, rejoint les écuries. Quand il se retourne, le gris a bu Moinette. Elle n'est plus qu'une idée de fille diluée sous les trombes d'eau. Est-ce qu'elle va finir par monter ? Sous la mince bande de toit Jeanne se serre contre Vincent qui se serre contre Olga. Il ne fait pas vraiment froid, de la buée s'échappe des vêtements des enfants massés là, une grappe d'enfants qui fument en guettant l'accalmie. Moinette si frêle doit ployer sous le déluge. Il se figure une boule de fille écrasée sur la pente à côté d'un mouton impassible. Il faudrait redescendre. La convaincre de s'abriter. Mais il reste, la faute à l'épaule d'Olga. À un moment, même, leurs mains se touchent. Vincent tressaille et toute culpabilité le quitte. C'est ici qu'il doit être puisqu'il y a cette main. C'est pour ça que la pluie a redoublé de violence, que les bêtes ont fui et les bergers avec, et Olga derrière eux, et lui derrière Olga abandonnant Moinette, que les enfants se sont rapprochés en étau de part et d'autre de ces deux-là, il ne peut pas renoncer à cette main qu'un si parfait enchaînement a placée contre la sienne. Il essaie de ne pas bouger, il respire à peine de peur qu'Olga ne la retire. Il veut être indécelable, le bois dans son dos, la terre sous ses pieds, l'air qu'elle boit. Peau contre peau, tendon contre tendon, articulation contre articulation, il est sa peau, son tendon, son os, elle ne doit percevoir nulle présence étrangère. Il y en a qui jouent à pierre feuille ciseaux. Aux devinettes. Qui reniflent. Qui mordent dans du pain. Il veut que la pluie dure. Il fixe le rideau de pluie devenu son allié, qui les tient immobiles soudés par le dos de la main. Il se souvient de la main de Blanche, la vue de cette peau ouvrait la voie à tout le corps. Blanche est une mère, au début il a imaginé ses courbes mais il n'osera plus. Il décide de voir Olga en aveugle. Olga aussi c'est le nouveau monde, il déploie tous ses sens. Il écoute sa respiration irrégulière d'après la course, il imagine le souffle couler entre ses poumons pareil au vent de Bérard entre les versants, ses bourrasques. Il sent l'âcre des bêtes qu'elle trait, le suint, le mouillé de sa cape qui peut-être est le sien, sous ce toit en vérité chacun sent les bêtes et la pluie, toutes les bêtes, toute la pluie. Alors il se concentre, il veut saisir son odeur singulière. Il croit y parvenir, perçoit le chaud du bois coupé, de la poussière d'écorce. L'odeur de lait quand elle incline la tête pour lisser ses cheveux. Sans doute il les invente à partir d'un souvenir, d'une image, un tel déluge dissout les parfums volatils. Il se figure la goutte d'eau juste tombée du toit glissant jusqu'à sa bouche, miroir de celle qui perle sur sa lèvre à lui, elle a une bouche au goût de bois et de pluie ; il lèche sa lèvre. Il se concentre sur la peau de sa main, la pastille de peau qui conduit à toute la peau, aux renflements, aux creux, aux plis, leurs textures et odeurs secrètes, une vague tiède et douloureuse déferle dans son bas-ventre, s'étale comme l'encre sur un buvard. Il pourrait dessiner Olga en paysage, sa bouche en pluie, son corps en forêt, sa nuque de lait, ses côtes en vallée de vent. Maintenant que la neige a fondu et que tout est visible Olga est la neige, le champ des rêves, il la dessinera, c'est sûr, même s'il échoue à restituer ce qu'il soupçonne du ferme et du souple, du rugueux et du doux, du tiède et du frais. Il ne voit pas tout de suite Moinette émerger de la pluie, petite elfe noire précédée du mouton. Il est dans la peau d'Olga, dans le mystère. Moinette s'approche, aperçoit leurs mains, le visage ravi du garçon semblable à ces figures de saints sur les tableaux de l'église. Elle a voulu connaître les pouvoirs d'Olga. Les égaler. Les surpasser. C'est sans espoir, la vérité soudain lui éclate au visage : être Olga suffit.

Elle ne renonce pas et Vincent se laisse faire, inconscient de l'enjeu. Elle lui offre un œuf à gober, elle l'a dérobé juste pondu sous la poule, si son père le savait il lui passerait un savon. Il n'a jamais gobé d'œuf. C'est elle qui perce le trou à l'aiguille, colle sa bouche à l'œuf, lui dicte d'aspirer. Après, il tient la coquille vide entre pouce et index, si légère et fragile et presque translucide, si facile à broyer dans son poing. Elle lui montre la barbe grise poussée sur le sérac de chèvre, à la cave, les longs poils à texture veloutée qui ne sont en fait qu'une forme de moisissure, on dirait une fourrure, regarde, si tu la touches elle s'éparpille en cendres. Moinette la rase d'un coup de lame avant de plonger une cuillère dans le fromage frais.

— Goûte.

C'est la bouche qu'elle cible, toujours. Il se dira plus tard : elle prenait son élan. Un matin, juste quand Vincent sort de la maison, Moinette embusquée derrière la porte plaque ses lèvres contre ses dents. Il recule, d'un geste réflexe essuie sa bouche comme on chasse une guêpe qui vient de piquer.

— T'as jamais embrassé une fille ?

Elle le fixe, lasse, comme s'il avait découvert l'eau tiède. Puis elle descend tranquille vers le champ. Vincent est pétrifié. Chacune de ses ignorances est une évidence pour Moinette. Les baisers aussi ? Moinette a manqué de lui faire avaler des œufs de grenouille alors que ça ne se mange pas, il s'en souvient, si ça se trouve pour les baisers elle ment. Sauf que les œufs étaient un simulacre, elle les a balancés après s'être payé sa tête tandis que le baiser, elle l'a fait. Avec sa bouche sèche, une pression furtive et brusque plus semblable à un coup qu'un baiser, mais elle l'a fait. Sans se frotter la bouche, elle. Sans rire. Sans s'excuser.

— Dépêche, on va être en retard !

Ça ne se reproduit pas. Il y a un seul baiser, comme si c'était l'heure, une étape attendue de leur histoire, un sceau définitif. Souvent, songeant à ce baiser, Vincent substitue Olga à Moinette. La salive lui monte à la bouche pareil qu'à la pensée d'un sucre.

C'est la journée des mères. La veille, en classe, ils ont gravé des motifs végétaux sur des planches en mélèze. Émile a dit qu'il ne voulait pas le faire, il n'a pas de mère. Le maître a dit tu donneras ta planche à Mémé, elle est un peu ta mère. Vincent a demandé à qui il offrirait la sienne. Il a deux mères, personne ne le sait, une fausse et une vraie, qu'importe, elles sont loin. En théorie il y a bien une mère dans la maison de la Villaz, mais ce n'est la sienne ni pour de vrai ni pour de faux, et elle s'est absentée depuis un mois. Chez eux pas de mémé, alors ? L'abbé Payot dit que la Sainte Vierge est notre mère à tous, il loue la patience, la générosité des mères, Vincent ne va pas offrir sa planche à la Sainte Vierge quand même. Pour la première fois il se sent orphelin. Presque quatre mois sans nouvelles de sa mère, la seule, Sophie Pavlevitch née Bonnet. Pas de lettre. Pas qu'il sache en tout cas, et la neige n'explique plus les retards de courrier. À court d'idées il grave *Pour Blanche* au bas de sa planche, la confie à Albert qui prend le train pour Argentière.

Ce soir-là, Éloi est absent pour dîner, il dit qu'il a à faire. Alors Louis allume Radio Sottens et la musique remplit le pèle déserté. Une petite java, quelque chose comme ça, un peu incongrue dans cette pièce à l'odeur de soupe, de bêtes et de feu. Vincent remarque une cicatrice à la cheville du vieil homme. Louis relève son pantalon, il en a toute une collection, des cicatrices, si ça l'intéresse. Des blessures de tranchées. Sa préférée, il dit, tirant sur le tissu, c'est cette entaille d'éclat d'obus. Il y est toujours, l'éclat, viens voir, et il rapproche sa jambe de la lampe. Voilà, fondu dans la chair, bien en place. Louis tend le talon, puis la pointe du pied, la forme bouge sous sa peau en arêtes polies, vivante. Il rit. On a failli lui amputer la jambe mais le bombardement de l'hôpital de campagne a causé le transfert des blessés. Finalement la peau s'est refermée par-dessus et on n'y a plus touché. Pas de gangrène, rien.

— En somme, j'ai du Boche dans le mollet. Ton Papy, il a fait la guerre ?

Vincent secoue la tête : trop vieux. Ça lui est venu comme ça. En vérité Papy Pierre, soutien de famille, a été dispensé, et Jacob, qui était russe, a combattu un an sous drapeau russe aux côtés des Français. Le grand-père Dorselles, il l'ignore.

— On a tous été mobilisés, mes quatre frères et moi.

— Ils sont où tes frères ?

— Au cimetière. Depuis des années. Je suis le cadet, moi. Deux enterrés à Vallorcine, un à Sallanches. Le quatrième il a toujours vingt ans, on ne l'a jamais revu après l'Armistice.

Comment il peut être sûr que ce frère est mort ?

— Plus de nouvelles ! Il a cassé sa pipe ou il voulait qu'on le croie. Ça revient au même, avec ou sans cadavre pour nous il est mort.

Éloi n'est pas rentré non plus à l'heure du couvre-feu. Ils avalent leur soupe dans une curieuse atmosphère de bal, une fête mélancolique qui aurait lieu sans eux ou bien où danseraient des morts, ils n'ont allumé qu'une ampoule. Alors Louis raconte des histoires de la guerre, la genèse de ses blessures, ses fils n'ont plus envie de l'entendre tandis que Vincent, hein. Et dans le noir du pèle surgissent des cratères, des pluies de feu et de terre, et les lettres de Lucienne, la femme de Louis. Vincent pense aux absents, au médaillon. Il veut qu'ils soient vivants. Le lendemain il demande à Émile si son père lui a écrit. Quand il a reçu sa dernière lettre. Émile réfléchit, fait sauter dans sa main son sac de billes. Il ne sait plus. Le mois dernier peut-être, ou le mois d'avant, il se souvient que dans sa réponse il a recopié son bulletin de notes. Il n'a pas l'air inquiet.

— Comment tu sais qu'il est pas mort ?

— Qui ?

— Ton père !

Émile fronce les sourcils, serre le sac de billes dans son poing. Le ballon de foot roule à leurs pieds, Vincent le renvoie au milieu de la cour.

— Pourquoi il serait mort ?

— Pourquoi pas ?

Émile secoue la tête.

— T'es bizarre, toi.

Puis il détale :

— Je vais jouer !

La voix de Vincent le poursuit sans l'atteindre :

— Comment tu peux être sûr si tu n'as pas de nouvelles ?

Juin est là, Blanche n'est pas rentrée. Ils préparent les jardins autour des maisons et jusqu'à la rivière, et loin au-dessus des hameaux, aux lisières de la roche où l'ensoleillement dure. L'été tel qu'il existe hors de Vallorcine reste irrattrapable : ici on laboure, ailleurs les récoltes commencent. C'est une terre pauvre, rétive à la culture, trop fine, trop caillouteuse, trop froide, trop pentue, l'almanach de la plaine ou des larges vallées y est sans utilité. Ils sèment à la volée les graines de carotte. Les plantons de choux et de poireaux arrivent de Chamonix et d'Annemasse par le train. Puis on plante les betteraves, les pois en cercle autour des pommes de terre, les fèves. Le jardin est le domaine de Blanche, ils ne sont pas sûrs de bien s'y prendre mais la mère de Moinette veille de loin. Vincent contemple la terre retournée noire charbon, la vallée qui se mue en damier. Des graines couvent, là-dessous, ça l'impressionne. Il n'a jamais fait pousser que des lentilles sur un morceau de coton, de la ciboulette dans une jardinière, un bulbe de tulipe rapporté de Hollande par son voisin de palier. Les légumes et les fruits il ne les connaît qu'achevés, sauf quelques mûres vertes tournées rouges tournées noires au mois d'août, dans les rares ronciers le long du chemin de fer, chez lui, aux Batignolles. Ici, il est au commencement de tout.

Les champs saturés de fleurs n'ont pas attendu Blanche, on dirait un tableau pointilliste tant les têtes sont serrées, à distance les pigments se fondent en vagues chromatiques selon la densité des espèces : rouge du côté des mauves, œillets fuchsia, cirses violines, campanules violettes, renouées bistortes rose pâle ; jaune du côté des verges d'or, boutons d'or, casse-lunettes, Saint-Jean et marguerites. Une palette chamarrée mêle les véroniques, orchis, trèfles, pensées sauvages et serpolet entre les rectangles vert tendre des feuilles de pommes de terre. Et quand tu t'en approches, les herbes et graminées s'écartent, laissent voir les cœurs mousseux des fleurs, les pétales hérissés, les cylindres, les capuchons, les cloches aux lignes délicates, orfèvrerie végétale. Moinette les nomme au fur et à mesure qu'elle les cueille, en détache les pétales dans le petit panier tendu par Vincent – tu les retiendras, hein ? Ce sont les filles qui préparent les paniers de fleurs pour la Fête-Dieu mais Vincent aime cette profusion de couleurs, il déambule dans le tableau, et aussi le contact des pétales encore frais de rosée – de la peau de fille. Moinette accepte qu'il l'accompagne, docile, seul garçon parmi toutes les filles, elle a un chevalier servant. Quand les pétales sont assez larges il récite pour lui-même elle m'aime, un peu, beaucoup, comme le faisait son père dans le creux de la main de Sophie avec les têtes de géranium cassées. S'il s'y attarde, l'incertitude, les absents font des ombres au tableau ; mais, peut-être parce que tant de douceur visuelle le submerge, il laisse la lumière l'emporter. Et alors il décide d'embrasser Olga. Il ose à cause du baiser de Moinette. Depuis le début elle est son guide, sa permission, en toutes choses il l'imite. Embrasse-la, lui souffle son baiser à elle, son étonnement que jamais il n'ait embrassé de fille. Il veut le croire.

Ce jour-là, Moinette va chez la vieille du Mollard après l'école, pas de Poya pour elle. On confie à Vincent les chèvres et le mouton. Il garde les bêtes avec Émile qui a dérobé le briquet de sa grand-mère, ils fument des feuilles d'egi roulées en crachant leurs poumons. Ils essaient d'autres feuilles en vain, trop vertes pour flamber, et des brindilles creuses qui font tousser. Chiche qu'on fait fumer le mouton ? propose Émile. Mais le mouton déguerpit devant la fumée âcre. Vincent approche la brindille des naseaux de Seguine qui se met à éternuer. Il n'a jamais vu éternuer une chèvre, ni aucun animal, tout son corps éternue et frissonne, ses oreilles dansent autour de sa tête comme une paire de couettes, ils éclatent de rire. L'autre chèvre, Émile ! Et la chèvre du Nant se met à éternuer aussi de la queue aux oreilles. Moinette se serait fâchée. Ils font un feu de poche entre des pierres, y crament leur pain du goûter déjà dur comme du bois, et Vincent mâche le goût de feu. Après, Émile doit repartir retrouver sa grand-mère, Vincent est seul avec les bêtes. Ça n'est jamais arrivé. Il ne sait pas s'il est capable. Il cherche Olga sur la

Poya. Elle est peut-être aux écuries. Il remonte la pente sa badine à la main, moins efficace que Moinette, sa petite troupe file en tous sens, il court deux fois plus que les bêtes pour les rassembler et puis il ne sait pas siffler. Moinette, elle, n'a qu'à glisser deux doigts dans sa bouche, c'est une marmotte en forme de fille. Il trouve Olga aux écuries en train de traire sa chèvre. Ils sont nombreux à traire autour, dans un drôle de concert de jets de laits.

— Je suis restée près des arbres, elle dit, continuant de tirer sur les pis. Trop de soleil aujourd'hui.

Elle n'a même pas cherché Vincent.

— Moi j'aime bien le soleil.

— C'est les Parisiens, ça. Tu verrais les monchus, l'été, ils manquent tellement de soleil qu'ils s'étendent les bras en croix sans rien faire, juste pour dorer... Moi je préfère la peau blanche. J'aimerais avoir la peau de quand ils arrivent, tu sais, toute fine et transparente. Comme la poupée du Bazar de l'Hôtel de Ville.

Elle se tait, rêveuse, le lait fuse dru dans le seau.

— Tu ne les trais pas, toi ?

— Je ne sais pas le faire. D'habitude c'est Moinette.

— Qui s'en charge alors ?

— Le cousin d'Albert.

D'une tape sur la croupe, Olga libère sa chèvre. Puis elle fait claquer sa langue, amène Seguine dans l'écurie.

— C'est toi qui vas traire.

Elle tire un tabouret près du sien, lui fait signe de s'asseoir. Elle dit d'abord tu vides un peu de lait, à droite et à gauche, comme ça, pour ne garder que du lait propre. Après tu fais comme avec une poche à gâteau. Il n'a jamais vu de douille, ou bien il ne s'en souvient pas. Elle dit tu presses en haut d'abord, pour remplir le pis, puis tu le vides dans le seau en serrant les doigts et tu alternes, droite, gauche, droite, gauche. Ça a l'air simple, en plus la chèvre n'a que deux mamelles au lieu de quatre pour une vache, et elles sont moins charnues. N'empêche, il a plus peur de traire la chèvre que d'embrasser Olga, traire il ne l'a jamais fait, il pourrait échouer, prendre un coup de sabot, la décevoir, tandis qu'un baiser tu ne peux pas te tromper : il suffit de viser. Il essaie. La chèvre s'agite. Tu pinces trop, dit Olga, le lait ne sort pas, si ça se trouve il remonte, même. Ils sont cachés des regards par les ombres qui s'allongent et la masse des chèvres.

— Doucement. Serre le poing en haut. Imagine ce qui se passe à l'intérieur.

Imaginer l'invisible, il sait. Elle parle d'un grand sac plein de lait, du lait qui descend dans le pis, du pis que tu presses pour que le lait jaillisse. Il la voit en coupe, la grande mamelle, l'emplit de blanc, et chacun de ses gestes anime l'image. C'est mieux. Recommence. Il s'applique, visualise le trajet du lait comme le liquide dans le laboratoire du chimiste de son livre de sciences, les vasques, tubes et tuyaux où il circule. Cette fois, le lait jaillit. À gauche maintenant. Il s'y reprend à deux fois. Gauche, droite, elle l'aide, refermant ses mains sur les siennes, et d'autres images alors éclosent, il n'y peut rien, le corsage d'Olga bat contre sa chemise. Elle desserre l'étreinte de ses doigts, les laisse flotter un instant par-dessus ceux de Vincent. Il fixe la mousse très blanche monter dans le seau. Ses mains lui font mal, dans le creux entre le pouce et l'index. Il frotte ses paumes.

— Attends, c'est pas fini.

Maintenant les écuries sont vides, ou presque. Il doit être un peu tard. Le cousin d'Albert fait signe à l'entrée de l'écurie, c'est toi Vincent ? Elles sont où tes chèvres ? C'est bon, dit Vincent, je m'en occupe.

— Sûr ?

— Sûr.

Olga masse lentement les pis comme on pétrit une pâte, fait descendre tout le lait.

— Si tu arrêtes là, elle en donnera moins. Quand tu en laisses, tu lui fais croire que tu n'as pas besoin de tout. Elle s'en rappelle.

Elle trait Seguine jusqu'à la dernière goutte. Il est à dix centimètres de sa bouche. Quand elle se recule, essuie ses mains au tablier, il a l'irrésistible envie de déloger le brin d'herbe d'entre ses incisives. Il le fait.

— Mais...

Elle lui reprend le brin d'herbe, et avant qu'elle le replace il l'embrasse, le temps d'un clignement de paupière. Elle se recule.

— Qu'est-ce qui te prend ?

Il n'aurait pas dû. Saleté de Moinette. Il baisse la tête.

— Pardon.

Elle balaie du regard l'écurie. Écoute. Vincent n'entend rien qu'un concert de sonnailles et le tambour de son cœur. Il voudrait disparaître. Il s'apprête à s'enfuir mais elle retient ses joues entre ses mains, elle pourrait broyer son visage.

— Tu ne sais pas t'y prendre.

Il fixe ses pupilles qui se floutent alors qu'elle s'approche. Il sent soudain sa langue tenter de franchir ses lèvres. Une petite bête mouillée. C'est trop de plaisir d'un coup.

— Faut que je rentre… il articule contre ses dents.

— File donc, dzeurbe ! elle dit en s'écartant, et elle se met à rire. File, gamin.

Il file. Le soleil maintenant fait l'herbe presque jaune. En juin, cette lumière il la voit par la fenêtre du pèle, c'est le début du soir, l'heure de la soupe, il devrait être rentré depuis longtemps. Il descend toute la vallée ou presque dans cet or qui met le feu aux flaques, aux gouilles et aux bassins. Malgré l'heure tardive il choisit ce chemin d'incendie, il l'oblige à des boucles, des détours minuscules, innombrables hors des lignes des sentes, il perd du temps mais il s'en moque. Il fait fuir les libellules et les gerris à la surface des flaques, il relie entre elles les flammes d'eau comme des pas japonais, quatre mille pas au moins jusqu'à la Villaz s'il les comptait, il ne sait pas ce que sont des pas japonais, il se dit seulement : je marche dans le ciel. La salive d'Olga a séché sur sa bouche, une pellicule invisible au reste du monde. Il en a bu une goutte sans doute, une once de rien du tout, sinon d'où vient cette sensation d'avoir avalé le soleil ? L'ombre recouvre peu à peu les hameaux, une vague lente et bleue qui gagne sur le feu, Vincent frissonne. Il court à perdre haleine dans la montée entre le Clos et la Villaz, vers les derniers rayons, ses muscles chauffent et s'épuisent, c'est ce qu'il veut. Il aperçoit la maison, la fumée en volutes au-dessus du toit. Il a une excuse toute prête : la fugue de Seguine, elle a un don pour se caler dans les pentes périlleuses, ça se sait. C'est un mensonge heureux, sans conséquence, il n'a aucune crainte. Mais quand il le débine, essoufflé, sur le pas de la porte, Éloi le coupe : c'est à Moinette qu'il faut le dire.

Ça l'arrête net.

— Elle t'attendait au Mollard. Elle est venue te chercher.

Il a oublié. Le goûter. Les beignets. Le cadeau tardif qu'elle avait préparé pour son anniversaire avec l'accord de la vieille : un morceau joué au violon. L'apprendre avait été un défi, elle ne connaît pas le solfège, les cours de pipeau du maître ne permettent pas de déchiffrer une vraie partition. La vieille avait accepté à condition qu'elle joue chez elle, que le violon ne quitte pas sa maison, qu'elle puisse l'entendre. Ce n'était pas une surprise, ils avaient rendez-vous alors Moinette était sûre qu'il viendrait. Mais il y a eu la traite. La bouche d'Olga. La salive sur sa bouche. L'amnésie de tout.

Il frappe chez Moinette. C'est sa mère qui ouvre. Il monte à sa chambre, et chaque marche l'enfonce un peu plus dans la honte. Moinette l'attend sur le palier. Une très vieille petite fille.

— Seguine s'est enfuie… il bredouille.

Moinette se tait. Le laisse s'empêtrer.

— J'ai dû la chercher, tu comprends…

Elle ne le croit pas, ça se voit, il irradie encore du feu de tout à l'heure.

— Tu veux qu'on y aille demain, au Mollard ?

— Il n'y a plus de bougnettes, elle dit, glaciale. Ce qui restait je l'ai donné au chat.

— Et le violon ?

La main de Moinette agrippe la poignée de la porte, clairement elle veut qu'il s'en aille. Il voit des grains de sucre briller au coin de sa bouche. Elle a fait des beignets avec du vrai sucre, il voudrait ôter du doigt ce sucre qui l'accable. Il voit que les traits de Moinette s'affaissent. Son visage va tomber en pièces, les globes des yeux, la plaque du front, les pommettes, la barre de la bouche, le triangle du nez, l'arrondi du menton, Vincent a cette pensée bizarre qu'elle n'a plus de visage mais une somme de volumes mal soudés près de se disloquer. Un chagrin pareil il n'en a jamais vu. Il ne savait pas que ça existait. Même quand il a quitté sa mère. Il a peur. Il a pitié, terriblement. Il voudrait recoller ce visage, une petite fille ne peut pas dégorger tant de souffrance. Le menton de Moinette tremble. Elle va *fondre* en larmes, littéralement, il se dit, et cette vision est insupportable. Moinette est une chouette, une fée, un lutin, Moinette guide, surprend, se moque, rit, se vante, râle, il sait que c'est le sens de *moiner* en patois, râler, et peut-être son surnom en résulte en dépit de ce qu'elle prétend mais il n'a rien dit pour ne pas la froisser. Elle lui a tout ouvert, offert sans rien savoir ni exiger de lui, il n'avait qu'une promesse à tenir. Une toute petite promesse. En silence il supplie ne pleure pas. Il le dit, ne pleure pas. Depuis le début elle est son alliée, sa loyale, il ne peut pas soutenir son regard de noyée. Cette désolation, c'est son œuvre. Il veut dire souris, étirer de force la bouche de Moinette en travers de ses joues, dégager ses dents, il veut dire parle, ris, se défaire de sa honte, il la déteste de l'obliger à voir sa honte. Mais sa bouche est de plâtre. Il détale pour fuir le visage qui l'accuse. Pour se soustraire à son propre visage.

Il attrape ses moignons de crayons, il se dessine, fébrilement, sans jeter un regard dans la glace minuscule clouée au-dessus de l'évier, il sait de quoi il a l'air. C'est un autoportrait du dedans tel que l'esquisse Moinette, où le vert forêt de son prénom vire au noir. Un saccage de troncs calcinés. Vadim n'a jamais embrassé de fille, dessinait à la loupe des pétales, les nervures du bois, les reflets dans une goutte d'eau, borné à la plus petite échelle, l'imagination conforme à ses bronches étrécies. Vadim avait peut-être des pensées asthmatiques, des rêves et des gestes étroits, mais il ne blessait personne. Il n'était pas coupable. Il n'était pas laid.

Ils descendent à l'école en se tenant à bonne distance l'un de l'autre, Moinette et lui. En classe, au catéchisme, Vincent détourne la tête pour ne pas croiser son regard. À la Poya il traîne avec Émile, loin d'elle et loin d'Olga, Olga il crève d'envie de s'en approcher mais il s'empêche, pour se punir. Il voudrait réparer, rembobiner les événements comme les saisons savent le faire à Vallorcine, rejouant vingt fois l'hiver en plein printemps, effaçant toutes les traces. Annuler le goûter manqué, le morceau de violon manqué, mais le désastre est définitif.

Il apprend qu'on a pris son veau à Moinette. Réquisitionné par les Italiens. Un veau de quelques mois avec une frange bouclée. Ce chagrin-là il n'y est pour rien, et de ça il éprouve un étrange soulagement. Un autre partage la faute, prend sa part de la laideur, il n'est plus seul à porter la charge. Maintenant qu'il se la figure moins lourde il peut tenter de se racheter. Il veut être absous. Redevenir beau.

Pas n'importe comment. Pas par un chemin facile. Donner son médaillon par exemple, ce qu'il a de plus précieux, ne suffirait pas : il le possède déjà. Il lui faut un exploit. Au moins se plier à la loi du talion, rendre à hauteur de ce qu'il a perdu, et au-delà si possible.

C'est en voyant le groupe d'Italiens sur le parvis de l'église que Vincent se décide. Six soldats fument tranquillement au soleil à la sortie de la messe, en rang d'oignons, on devine leurs uniformes entre les silhouettes qui s'éparpillent, et par-dessus les têtes oscillent les plumes piquées dans leurs chapeaux. Les pioulets, on les appelle, à cause de cette plume. Pas une plume de ferme. Pas une plume de nid. Pas une plume que tu achètes à la coop, ou que tu trouves au milieu de la forêt ou dans le poulailler ou émergée de la neige au début du printemps. Une plume spéciale. Une plume rare pour la collection de Moinette. Et d'une pierre deux coups : non seulement il est pardonné mais en plus il la venge, pour le veau. Il devient un héros.

Il observe les plumes des Italiens. Sur tous les chapeaux, des dizaines de chapeaux. Il fait l'inventaire avant de choisir, hors de question de s'en remettre au hasard. La plupart sont noires, longues d'une trentaine de centimètres, si bien qu'il est tentant de leur attribuer une fonction autre que décorative : on dirait des espèces d'antennes. Des plumes de corbeau, il paraît. Il en voit une avec des reflets bleus. Une autre tire sur le marron. Il est novice en plumes, il commence juste à reconnaître les bergeronnettes, mésanges, rouges-queues, martinets, pics et tétras-lyres, et les pinsons. Cette plume marron ne lui rappelle aucun oiseau, il ne parvient pas non plus à l'identifier dans le livre du maître. C'est une penne, clairement, l'une de ces longues plumes de la queue, les rectrices, ou de l'aile, qu'on appelle rémige. Une plume unique, certes, puisqu'elle remplace le modèle d'origine, mais là est justement son défaut : il lui faut un indubitable spécimen d'Alpini. Donc réglementaire, parfaitement conforme au modèle. Il scrute encore, il n'a pas tout vu. Louis dit que les chefs ont droit à une plume d'aigle. Une plume d'aigle ce serait chic.

Les chefs ne courent pas les rues. Ne jouent pas avec les gosses, ne leur apprennent pas le tir à l'arc tête nue comme les soldats de base, n'achètent pas du papier à lettre à la coop, ôtant leur chapeau pour saluer la marchande, le posant sur le comptoir quelquefois, concentrés sur leur monnaie ou scrutant l'arrivage de denrées nouvelles sur les étagères, un peu distraits. Ils ne fument pas au soleil le chapeau par terre, ne font pas la sieste chapeau sur le visage ou la poitrine et les mains croisées sous la nuque. Ils ne montent pas sur les toits pour aider aux charpentes et aux ancelles en se découvrant le crâne, ils gardent le chapeau bien vissé dessus, un couvre-chef qui mérite son nom. Il y en a plein les hôtels réquisitionnés, des chefs. L'Edelweiss, le Mont-Blanc. Au Mont-Blanc, Olga apporte le lait. Vincent songe un instant à en faire sa complice. Il renonce. Par manque d'audace, et refus d'un recours extérieur. Pas de triche. C'est sa mission. Ce sera donc une plume noire, ordinaire, mais la plus belle.

Les plumes sont assorties à leurs propriétaires. Les moustaches les mieux taillées, les pommettes les plus lisses affichent des plumes aux barbes serrées, les plus compactes et les plus élégantes, et les ongles de ces soldats vont avec, coupés, limés, extra-propres, même le maître n'aurait rien à y redire. On les croirait lustrées, presque argentées dans le soleil. Tandis que celles qui frisent légèrement vers l'extérieur ou s'écartent en paquets disgracieux, irréguliers comme les touffes de poils d'un chat errant, les plumes un peu grasses, ou ternes, ornent des chapeaux moins tenus, cognés aux portes, oubliés dans la poussière, et s'accordent à des peaux mal rasées, des cheveux en désordre et des lunules sales.

Il en repère une de loin en sortant de l'école. Le soldat marche d'un pas tranquille vers le chef-lieu, de dos, Vincent a tout le temps de l'évaluer. Parfaitement biseautée, cette plume, dense en matière, asymétrique de part et d'autre de l'axe central comme une voile de gréement vue de trois quarts, il y en a des gravures dans *Robinson Crusoé*. Vincent suit le soldat, semant Émile, j'ai une course à faire. C'est une plume de corbeau, pas de doute, une plume d'origine. Neuve. Brillante et sèche, avec irisations violettes. Le nec plus ultra de la plume de pioulet. À un moment le soldat se retourne, hélé par un autre. Vincent baisse la tête, dépasse l'homme. Il n'a pas vu sa figure. Il doit la voir, ça fait partie du plan. Mémoriser le visage pour retrouver la plume, et ensuite la voler. Il rebrousse chemin. Fixe l'homme à contre-jour. Il plisse les yeux façon cow-boy, hyper concentré. Il a cinq secondes. Il ne l'a jamais vu, ce soldat, ou ne s'en souvient pas. Il retient surtout sa moustache, la figure est plongée dans l'ombre. Une moustache singulière, très fine, presque pas une moustache. Un petit serpent qui danse sur sa lèvre.

— Il s'appelle Lucien.
La tête est rouge dans le tissu très blanc. Il ne ressemble pas à un petit garçon. À un humain. À cause des billes noires si mobiles à la place des yeux on dirait un insecte. Il a une bouche sans dents de vieillard. Un crâne flasque, n'y touche pas Vincent, c'est la fontanelle, elle va durcir, pour l'instant elle est molle comme du flan ! – *flang*, l'accent de Blanche

lui avait manqué. Il ne sait pas si c'est normal, ce bébé inachevé. Il a un duvet fin au lieu des cheveux, une tête d'oisillon. Ses mains fripées s'agitent continument, il tente d'attraper des choses invisibles.

— Lucien comme Lucienne, dit Louis, ma femme.

Lucien n'a jamais vu de montagne, ni Vallorcine. Il ne connaît ni le ciel de Bérard au coucher du soleil, ni le chant du pinson, ni le parfum des merisiers en fleur, ni le froid de la neige. Il est plus ignorant, plus fragile que Rouquine quand elle est née, elle avait la tête dure, le poil tendu, elle se tenait sur ses pattes juste après sa naissance. Lucien est l'être le plus vulnérable. Les bras de Blanche forment un berceau autant qu'une tombe, il se dit, il suffirait d'un rien, elle est vertigineuse cette promiscuité entre la vie et la mort.

— Lucien, Vincent, Daniel.

Vincent ? Il a bien entendu ?

— Vincent comme mon frère. Et comme toi. On voulait l'appeler Vincent en premier, mais deux Vincent dans la même maison, c'était trop. Et merci pour la planche…

— Mais… Daniel ? s'étonne Louis. Pourquoi Daniel ? Ça fait pas un peu juif ?

— C'était mon grand-père, Daniel, dit doucement Blanche. Il n'était pas juif.

— Ah.

C'est la première fois que Vincent entend le mot juif dans cette maison. Ce qu'on tait, c'est ce qui indiffère ou ce qui fâche. Mais Louis a dit juif sans hésitation. Sans irritation. Sans dégoût. À la façon dont il aurait dit ça fait pas un peu espagnol ce prénom, s'il avait sonné espagnol ou breton s'il avait sonné breton, par exemple Antonio comme le copain de

Vincent à l'école Baudelaire, ou Pierrick, l'ami de Papy Pierre. Vincent n'a pas idée de ce qu'ils ignorent et de ce qu'ils savent de son histoire, eux tous. Et puis il n'est pas juif. Pourtant ça brûle, là, sous ses côtes, depuis que le mot a résonné dans la pièce, aussi vivement que lorsque la sirène d'alerte se mettait à hurler à Paris, sommant de courir aux abris. Des bulles de salives moussent sur la bouche du bébé. Il se met à pleurer.

— C'est tout ce que tu sais dire, Lucien ? Ce n'est pas demain la veille qu'il va m'appeler Pépé, hein ! rit Louis en ébouriffant les cheveux de Vincent. Dis donc, il va falloir tailler dans ce nid à poux…

Blanche se lève, marche vers le lit et s'assoit en leur tournant le dos. Des bruits de succion succèdent aux pleurs. Vincent veut savoir si Blanche et le bébé vont rester pour de bon. Lucien a l'âge qu'il aurait dû avoir à sa naissance, neuf mois, dit Albert, c'est ce qu'on attendait, tu comprends ? Il fallait que tout soit bien en place, il explique. Les poumons, les reins, l'estomac, le cœur. Vincent se demande si dans le corps de Blanche tout est en place aussi. Si les flèches qui l'ont transpercée n'ont pas foré des trous définitifs dans ses poumons, ses reins, son estomac, son cœur. Elle est tellement maigre, ils doivent être à l'étroit maintenant, ses organes. Elle a encore du ventre, il le voit sous sa robe, et pourtant il est vide.

C'est le lendemain du baptême qu'il reçoit une lettre de sa mère. Il la déchire les doigts malhabiles. *Tous ceux que tu aimes vont bien*, elle écrit, de manière trop sibylline pour qu'il sache qui comprend ce "tous". Au moins son père, il décide, Jean, Papy Pierre. Et Sophie, bien sûr. Seulement il aime aussi son cousin qui porte l'étoile jaune, enfin il croit, si le mot aimer convient à cette morsure qu'il sent à sa gorge au souvenir de Paul, des jeux abandonnés, à l'idée que peut-être les Allemands lui ont fait du mal, à lui et à sa petite sœur Geneviève, et même à Marc, son oncle, et à sa femme. Et d'une autre façon, moins aiguë, au souvenir de Félix, le copain cordonnier de son père auquel on avait confisqué sa boutique, son travail, et dont il ne sait rien. Tous ces morts potentiels, muets, disparus du champ de vision, pareils au troisième frère de Louis jamais rentré de la guerre. Il songe à Henri et à Bouboule, ses camarades de classe, qui ne sont pas juifs et qu'il aimait bien, la morsure à sa gorge il la perçoit encore alors que leurs visages émergent de la brume. À son vieux voisin au livre sur Kandinsky et aux crayons de couleur, qui n'est pas juif non plus. À Molosse, le bichon de la concierge, qui n'est rien qu'un chien. Il n'est pas sûr d'aimer son voisin, ne peut pas *aimer* Molosse, quand même. Et pourtant ça le gratte encore, bien qu'en moins vif, là, sous ses amygdales, aux images du vieil homme et du chien. Pour la première fois il laisse Paris lui revenir dans le cœur. Ça porte un nom qu'il ignore : la nostalgie. Elle signe la fin de l'enfance, il ne s'en rend pas compte, en devine seulement le poison suave. Il a le courage de la chasser mais ne peut pas s'empêcher de courir chez Émile.

— Ma mère non plus elle est pas morte ! il annonce, essoufflé.

Sur le pas de la porte, Émile le fixe interloqué, son chat dans les bras.

— Ah…

— Elle m'a écrit, elle est pas morte. Comme ton père !

Il se garde bien de lui dire que la lettre est datée de mai, on a le temps de mourir en un mois, en un jour, en une heure. Émile hoche la tête.

— Mon vieux, je suis bien content pour toi.

Il l'appelle le Maigre, l'Italien à la plume parfaite. Il l'observe, guette les circonstances où il se découvre la tête, prépare son plan. À la messe, le Maigre ne lâche pas son chapeau. Dehors il craint le soleil, le chapeau enfoncé très bas sur l'oreille, non pour protéger l'œil qui fixe la cible, ça c'est Louis qui le lui a expliqué, la visière en biais empêche d'être ébloui et permet de mieux viser, mais pour entailler d'une vraie ombre la plus grande partie de sa figure. Il souffre de la chaleur, par moments le chapeau fait office d'éventail, juste le temps que Vincent entrevoie l'étroit triangle de peau beige où le soleil a quand même frappé, et sa coupe de cheveux impeccable : raie droite, tempes rasées. Pas une coupe de rêveur. Une discipline pareille décourage. La tentation l'effleure de changer de victime. Il lorgne d'autres chapeaux, moins bien portés et moins surveillés, il pourrait presque toucher, quelquefois, dans l'herbe, ou au bord de l'Eau Noire, à une table du bistrot, l'aigle de l'insigne en cannetille dorée, deux cors de chasse et deux fusils croisés, les chevrons inversés brodés sur le côté et le disque ovoïde où la plume est piquée. Mais c'est la plume du Maigre qu'il veut. Moinette et lui ne se sont pas parlé depuis dix jours, il s'est juré de prendre la plume d'abord. Quand les pleurs de Lucien le réveillent, la nuit – il s'est habitué aux sonnailles, aux bruits des bêtes et aux oiseaux mais ce son neuf déchire son sommeil – il s'aperçoit qu'il est plein d'images de chapeaux égarés, de vols de corbeaux dont les plumes se détachent une à une comme des feuilles d'arbres en automne, il les soulève du pied en marchant, des nuages de plumes légères et disponibles mais dès qu'il en touche une elle se désagrège entre ses doigts. Il rêve d'Olga aussi, la lune a son visage, il rétrécit en un mince croissant jusqu'au noir ; c'est peut-être une simple éclipse, il n'en est pas sûr. Il croit que seul le pardon de Moinette peut l'empêcher de disparaître.

Le vent sera son complice, il ne s'y attend pas. Le vent, la veine des uns et la malchance des autres, et une combinaison heureuse qu'aucune stratégie ne pourrait orchestrer. Il faut en premier lieu ce souffle venu de Bérard, annonciateur de mauvais temps, ces rafales tournantes qui couchent les voroces, affolent les poules, font cligner des yeux. Il faut ensuite le Maigre droit dans l'axe de la tempête qui enfle, sans possibilité d'abri au milieu de la route, qui lutte même, légèrement à l'oblique, pris au dépourvu au moment de sa ronde. Il faut sa solitude, un autre pourrait interférer et jouer le rôle qui revient à Vincent. Tout compte : l'angle qu'opère le buste du soldat par rapport au sol, l'angle de sa visière, la pression du front contre la bande de cuir intérieure qui maintient plus ou moins solidement le chapeau à la tête, cette pression croissant selon le degré d'enfoncement mais le soleil est voilé, le Maigre l'a juste posé, pour la déco, indifférent à la longueur de l'ombre portée sur son visage, une pichenette pourrait l'envoyer rouler. La force du vent compte, et l'emplacement des mains du soldat, fourrées au fond de ses poches où il cherche quelque chose, son tabac, son briquet à l'instant où la rafale le frappe si bien qu'il n'y peut rien, elle arrache le chapeau. La position de Vincent compte, à la seconde où le chapeau valdingue, il est vingt mètres en retrait du Maigre, bien aligné et dans le sens du vent et sans obstacle entre eux, la trajectoire du chapeau l'emporte à hauteur exacte de son épaule, allez prévoir pareille aubaine. Il est tellement prêt depuis des jours, tous sens en éveil. Il attrape le chapeau en frisbee mais le replie contre son ventre et aussitôt fait mine de le poursuivre, le dos tourné au soldat qui l'interpelle, il mio cappello !, il a les genoux fléchis, les mains à ras de sol, et il tire en même temps sur la plume, tire fort, elle résiste, prise dans des fils, du cuir ou du métal et le Maigre se rapproche, Vincent y est presque, un coup sec encore et ça y est, la plume lui reste dans la main. Il la fourre sous sa chemise, fait volte-face, tend le chapeau. Le Maigre le saisit, grazie ! Le retourne, contrarié, jette des regards autour de lui.

— La mia piuma… Dov'è la mia piuma ?

Vincent cherche mollement des yeux avec lui.

— E incredibile ! rabâche le Maigre, et il tourne sur lui-même en secouant la tête.

Puis il se rapproche de Vincent, suspicieux.

— Dov'è ? Où elle est ? Dov'è ?

La plume griffe le ventre de Vincent.

— Dov'é ! s'énerve l'Italien.

Vincent hausse les épaules. Il s'éloigne à pas lents, visant droit devant en direction des dents de Morcles. Le Sizeray dépassé, il cavale jusqu'à la Villaz. C'est un supplice d'attendre, d'ajouter du bois dans le poêle comme le lui demande Blanche, *dang le poileux*, de verser l'eau de vaisselle au cochon, de remuer la soupe et de plier le drap juste lavé séché tandis que la plume frotte contre sa peau : il veut la voir, la toucher. Ses mains tremblent en soulevant les bûches, il ne sent pas les échardes lui entrer dans la chair, la brûlure de la fonte. Enfin il monte à sa chambre, ferme la porte. Alors il déboutonne fiévreusement sa chemise. Voilà, la chemise est ouverte. La sueur colle la plume à son ventre. Il la détache entre pouce et index et la regarde, incrédule. C'est la plume la plus moche de toute la vallée. Humide, les barbes divisées en mèches brouillonnes. La vieille plume d'un vieux corbeau. Il lisse délicatement la plume entre le pouce et l'index, du bas vers le haut, comme on caresse un animal blessé. Il tente de rapprocher les barbes, de leur rendre la silhouette grossière d'une voile de gréement vue de biais. En vain. Il souffle sur la plume, la glisse sous son oreiller, espérant au moins figer l'oblique des barbes. Il fixe l'oreiller, longtemps. Allez, il implore. Allez. Il s'assoit un moment sur l'oreiller.

Il sort de sa valise une feuille, un crayon noir et un crayon violet. Il la dessine en toute hâte, la superbe plume d'Alpini longue et mince et compacte et très noire et irisée violette, il la sauve. Elle rejoindra la valise, le petit conservatoire où sont entreposés ses fantasmes et les corps préservés de Blanche et de Moinette. Au moins, elle existera quelque part.

Et puis il hésite. Offrir le dessin ou la plume ? Le dessin est parfait mais la plume est vraie. Elle raconte une histoire que le dessin occulte – c'est si souvent l'inverse, il se dit, face au portrait d'Olga et à son autoportrait aux troncs calcinés, si souvent le dessin dit la vérité. Il préfère le récit à l'image, il va offrir la plume.

Ce n'est pas rien, tendre la plume à Moinette, ce soir-là, sans rien dire encore de sa splendeur première, de prendre le risque de son mépris devant présent si modeste – pour qui il se prend, d'imaginer que ça pourrait suffire à se faire pardonner ? Mais Moinette ne se moque pas. Intriguée, elle tient la plume gâchée dans sa main, moins abîmée que tout à l'heure, la salive séchée a recollé une partie des barbes et l'oreiller joué son rôle de presse.

— C'est quoi ?

— Une plume pour ta collection. Celle-là je suis sûre que tu ne l'as pas.

Moinette fait rouler le calamus entre ses doigts.

— On dirait du corbeau. Ou de la corneille. Ou du chocard. J'ai déjà des plumes de corbeau, de corneille et de chocard. Mais ce violet…

Vincent secoue la tête.

— Langue au chat.

— C'est de la plume d'Italien.

— Hein ?

— De la plume de pioulet. D'Alpini.

Moinette hausse les sourcils, scrute à nouveau la plume.

— Tu l'as trouvée où ?

— Je l'ai volée.

— Non…

— Si.

— Jure-le.

— Je le jure !

Maintenant la plume est vraiment belle, plus que n'importe quelle image.

— Comment tu as fait ?

C'est leur moment de gloire, à lui qui conte son exploit et à elle qui l'inspire. Il n'est bien sûr pas question de l'idéale conjonction des hasards, des axes, des angles, du sens du vent, Vincent ne veut pas attribuer le mérite à la chance et il perche le chapeau dans un merisier, il allonge la course-poursuite jusque dans le pré au milieu des vaches, il fait tournoyer la plume au-dessus de l'Eau Noire, Moinette ne demande qu'à le croire. Sa figure irradie de gaieté et d'orgueil : elle est la cause de tout cela et Vincent en retour se mire et s'admire dans son visage. Ils sont beaux l'un par l'autre, à cet instant, merveilleuse symétrie.

— C'est parce qu'Olga s'en va que tu redeviens gentil ?

Il ne sait pas de quoi elle parle. Pourquoi Olga est convoquée ici, maintenant, alors qu'il y a la plume.

— Elle s'en va où ?

— Faire la saison à Chamonix dans un hôtel. Avec ma sœur.

Moinette scrute Vincent tandis que le venin chemine. Il ne suffit pas de pardonner, il faut qu'ils soient quittes. Comment lui en vouloir.

— Je ne savais pas.

La petite agonie.

— Je suis la seule qui a une plume de pioulet ?

— Oui.

Moinette jubile, soudain elle se tient droite, solide. Elle pique la plume au centre de sa collection.

— Et de vingt-trois ! Ça ferait une belle coiffe de Sioux.

— Une saison, ça dure combien ?

— Trois mois. L'été, quoi…

Vincent hoche la tête, pensif. Et toute douce maintenant elle dit :

— Merci pour la plume… C'est ma plus précieuse.

Le sourire de Moinette est de joie pure, car Vincent est entré dans la cabane et il y a déposé un trésor. En Vincent, le chagrin et le soulagement se mêlent comme les eaux à l'estuaire.

Elle a juste dit : viens ! quand il a demandé alors, c'est vrai que tu pars ? Elle lui a fait signe de la suivre, énigmatique, une fois les chèvres traites, et ils ont dépassé la Poya. Moinette avait sa plume et Olga allait quand même disparaître contrairement aux prédictions de ses rêves, il n'avait aucune raison de rester à distance. Ils sont montés vers le col.
— Hâte-toi, j'ai pas beaucoup de temps.
Elle a dit c'est la pierre à la femme, désignant un énorme rocher en bord de route, ils en ont fait le tour et ils sont devenus invisibles. Elle a remonté ses manches, passé ses cheveux derrière ses oreilles, les a noués en berlingot au-dessus de la nuque. Il suivait sans rien faire ces préparatifs d'il ne savait quoi. Elle s'est assise par terre, a tapoté la mousse.
— Qu'est-ce que tu attends ?
Il s'est assis. Elle a essuyé ses mains à sa jupe.
— Je ne connais pas Paris mais je connais certaines choses.
Elle a ôté le brin d'herbe de ses incisives, posé ses mains sur les épaules de Vincent et s'est penchée sur lui, recouvrant le soleil. Cette fois la bouche de Vincent s'est ouverte toute seule. La langue d'Olga y est entrée, petit batracien lisse et mobile, au début ça l'a effrayé. Elle s'est mise à nager dans sa bouche, il a fini par bouger sa langue aussi, prudemment, et cette consistance moelleuse et ferme lui a plu. Il l'a explorée dessus, dessous, senti le renflement des

veines, le voile du frein, le dur des dents. La langue d'Olga avait un goût de chanterelles. Il n'y a plus eu que ça, la langue d'Olga, il devinait qu'un monde s'ouvrait duquel il ne reviendrait pas. Les cris d'oiseaux, le souffle du vent, les chuintements de l'Eau Noire ont mis du temps à revenir. Quand il a entendu le pic, le chocard, quand de nouveau il a perçu le vent et le bruit du torrent, il a su que ce qui arrivait était réel. Alors il a voulu plaquer son torse contre la poitrine d'Olga, son ventre contre son ventre, une faim neuve lui a foré l'abdomen. Mais il s'est empêché, il a senti qu'à trop vouloir il risquait de tout gâcher ; l'instant était parfait, il a continué jusqu'au seuil de la douleur le patient travail de la langue d'où tout était parti.

Il veut tenir. Sa nuque tire, sa mâchoire tire et sa langue fatigue à s'enrouler autour de l'autre langue alors il s'amollit, se laisse faire, c'est elle qui tourne dans sa bouche, visite ses muqueuses, il veille seulement à maintenir ses lèvres bien ouvertes, il ne veut pas que ça s'arrête. Le rocher accroche sa chemise, s'imprime en minuscules poinçons dans la peau de son dos, y dessine d'éphémères constellations. Il se souviendra, plus tard, elles feront ressurgir toute la scène même si alors ces sensations étaient périphériques, des rugosités contre ses omoplates, de la fraîcheur de la pierre juxtaposée à la tiédeur des bras qu'il presse pour ne pas tanguer au-dehors pareil qu'au-dedans ; des épines de chardons frottées contre sa malléole, qui décuplent par contraste le velouté de la langue ; de la caresse agaçante d'une mèche de cheveux rabattue par le vent sur sa joue à lui, s'il la repousse il redoute de briser quelque chose, de mettre fin à l'expérience. Il est attentif à rester immobile, il se concentre sur la bouche. Il fond à l'intérieur.

— T'as du souffle pour un asthmatique ! dit Olga en s'essuyant d'un revers de manche.

Elle a refermé ses lèvres trop vite, il la regarde bouche bée, il se sent ridicule. Il s'essuie la bouche à son tour.

— Mon père est asthmatique, il siffle comme une cheminée. Toi, rien. Tu dois être fort en apnée !

Il ne sait pas ce qu'est l'apnée. Il veut qu'elle recommence, qu'elle s'abouche à lui, éteigne tous les bruits et toutes les images. Retourner aux muqueuses, à l'aqueux, aux rivières souterraines.

— Tu es vraiment asthmatique ?

Il hoche la tête.

— En même temps, il te faut bien une raison d'être ici… la montagne te fait du bien ?

— Oui.

— Moi mon père il y est né, et tu vois.

Il a chaud. Elle se méfie. Il a beau avoir d'autres motifs d'être ici, l'asthme n'est pas une chimère. Qu'imagine-t-elle ? Elle connaît les Italiens. Ce ne sont pas les Boches, pas les gendarmes, mais qui sait ce qu'ils feraient s'ils doutaient de son asthme.

— L'asthme, c'est pour la vie, non ? Comme quand on louche ou qu'on a un pied bot ?

— Peut-être…

Il a encore son léger goût de terre dans la bouche. Il garde sa salive pour ne pas le dissoudre. Elle rit :

— Alors tu seras là toujours !

Il ne veut pas avoir peur de cette fille. Elle se lève, lisse sa jupe, cueille une phléole qu'elle glisse entre ses dents.

— J'y vais. Attends un peu, qu'on ne nous voie pas ensemble.

En guise d'adieu elle passe la main dans sa tignasse courte, il a fallu couper les boucles pour éviter les poux, maintenant Louis dit qu'il a une tête d'homme.

— Merci, il murmure.

Il ne sait pas ce qui lui prend. Heureusement, sa voix est trop ténue pour qu'elle l'entende.

— Quoi ?

— Non rien...

Il la regarde s'éclipser derrière la pierre, ses mille mains rêvées voudraient la retenir. Il tente in extremis de fixer l'instant : le pan de jupe éclatant dans la lumière orange ; l'éclair orange dans ses cheveux lâchés ; la mousse orange en tapis autour du rocher ; les sapins orange en surplomb de la route ; le bleu orangé du ciel, gage de beau temps ; le vol d'un rapace découpé net et noir au-dessus du col ; la mousse sèche où ses doigts s'enfoncent, les fourmillements dans ses jambes repliées ; le coassement d'une grenouille rousse ; le sel dans son pharynx. Il fait bien. Il ne la reverra pas.

Le lendemain, à la Poya, un neveu d'Olga se présente pour garder ses chèvres. Elle s'en est allée, l'Italienne ! on dit alentour. Elle est partie, la fille Ancey. La fiancée.

III

JAUNE

C'est un matin ambré, soleil doux, ciel jaune. On sent monter l'odeur de cire qui annonce les journées chaudes. Cartable au dos devant la maison, Vincent se tient immobile, scotché au paysage pelliculé de miel avec cette impression bizarre que le moindre de ses mouvements pourrait le déformer comme la toile d'un décor peint. À un moment, un grand frémissement parcourt les prés. Seule l'herbe ondule, l'air est statique. Ça vient de la terre, par en dessous. On croirait le panorama scindé en deux à l'horizontale, une bande figée en haut, une bande mouvante en bas. Vincent fixe le vert vivant soulevé par un flux invisible. Moinette s'approche à son tour, se plante près de lui, observe. Elle a le sourire énigmatique de celle qui sait.

— Tu vas voir…

Elle l'ignore, la surprise sera pour elle aussi. Elle a beau s'attendre à ce qui vient, jamais ça n'aura été si grandiose. Contrairement à Moinette, Vincent ne songe pas à la métamorphose en cours dans la mousse, la litière, les feuilles d'arbres et les feuilles d'orties depuis la disparition des chenilles. Il ne s'est pas aperçu de leur disparition d'ailleurs, à peine de leur irruption au début du printemps, les chenilles il s'en moque. Il sait qu'elles mutent en papillons, que ça se passe aux beaux jours dans un cocon soyeux, un savoir minimal de leçon de choses ; quand et comment ça se produit exactement, mystère. Évidemment, il ne repère pas les signes de l'imminente éclosion, pas davantage que ceux de l'arrivée de la cousse cet hiver, il n'a pas été témoin de ça, avant. Moinette sait, elle, qu'à un moment, une injonction muette dicte à chaque papillon crève ta chrysalide et c'est ce qu'ils font, là, par centaines dans les tiges ondoyantes. Lui voit seulement bouger les prés sous une houle sans cause.

La nuée de piérides émerge d'un coup. On ne connaît pas le secret de cette concomitance ou bien on préfère ne pas savoir, on gâcherait la magie. De près, leurs ailes quasi translucides et nervurées de noir font penser à de pâles vitraux d'église, mais de loin et en nombre c'est une neige à l'envers qui monte vers le ciel. Des gazés, on les appelle communément, à cause de ce voile vaporeux qui absorbe la lumière, piérides c'est pour les dictionnaires. Moinette a lâché son cartable, tant de gazés à la fois elle n'en a jamais vu. Leur ombre en suspension palpite sur les prés, presque un phénomène climatique. Alors le temps d'un clignement de paupière se produit l'averse pourpre. Des gouttelettes de la taille d'une tête d'épingle grêlent les airs, si fines qu'on n'en ressent pas l'impact. Une moucheture sombre raye le dos de la main de Vincent. Le visage de Moinette. Les draps et les chiffons pendus à sécher dehors. Déjà la nuée s'éloigne. Quand la cloche sonne en bas, au Clos, Moinette bat des cils et le charme est rompu. Elle plonge sa main dans le bassin, passe de l'eau sur sa figure. Sur celle de

Vincent sidéré. Les yeux rivés à l'espace vide où à l'instant les gazés tremblaient, elle dit, comme surgie d'un rêve :

— C'est l'été…

Les prés se figent à nouveau. S'il ne subsistait ce sillage pourpre, les gazés sembleraient avoir été un mirage.

Vincent l'apprendra tout à l'heure de la bouche du maître, tous les autres le savent, au moment de leur envol les papillons se délestent des substances concentrées dans leurs entrailles pendant la nymphose. Seulement l'ampleur de l'averse est inédite.

— Comment ça se fait ? lance une fille.

— C'est un châtiment du ciel, répond une autre, ma Mémé l'a dit.

Un châtiment pour quoi, se demande Vincent.

Le maître frappe la règle sur son bureau, ordonne le silence, Dieu n'est pour rien dans ces prodiges de la nature.

— Alors à qui la faute, maître ?

Ils sont impressionnés qu'il n'ait pas de réponse, lui qui les connaît toutes. Pas même une hypothèse, c'est pourquoi Dieu ne peut être exclu, y compris par Vincent que le ciel indiffère, d'autant que le maître est notoirement athée. C'est au minimum un mauvais présage, pour sûr. Jeanne agite son mouchoir taché sous le nez de sa voisine.

— Dieu, ou le diable ?

Moinette gratte la couverture de son cahier, rêveuse et sombre. Émile pointe sa chemise, des traînées rouges maculent son plastron :

— C'est des vampires ! il souffle, les doigts crochus et les canines plantées dans sa lèvre inférieure.

Ça lui vaut vingt lignes qui ne résolvent rien.

Au catéchisme l'abbé Payot balaie la possibilité de la colère divine, Dieu a d'autres chats à fouetter que les Vallorcins.

N'empêche, jamais ils n'ont vu tant d'ailes. Jamais une telle averse. Juillet survient sous une pluie de sang.

Maintenant tous ils émergent, les papillons de l'été, fabuleux festival où l'orange domine. Vanesses du chardon venus d'Afrique qu'on appelle aussi Belles-dames, Petites tortues, Cartes géographiques aux motifs en toile d'araignée, Paons-de-jour dont les larges ocelles évoquent des yeux grands ouverts, et surtout, les préférés de Vincent entre tous : Cuivrés de la verge d'or, si flamboyants qu'on les croirait tirés d'une forge. Le maître a laissé à chacun le choix entre l'herbier ou la collection de papillons. Vincent a illico opté pour les lépidoptères. Il débusque les spécimens morts, ou échoués, ou à l'aile déchirée, ceux qui ne voleront plus, du moins c'est ce qu'on lui assure, il les enferme dans un bocal et les achève dans des vapeurs d'alcool. Le maître prétend que la sédation est indolore mais il semble à Vincent, peut-être parce qu'ils sont si beaux, si délicats, silencieux et d'apparence parfaitement inoffensive, que tuer un papillon est une décision grave. Pire qu'éplucher une grenouille, tirer une marmotte, égorger un poulet. Un petit meurtre. Il est envoûtant et douloureux à voir, ce cimetière chatoyant au mur de la classe. Alors au-dessous des abdomens qu'il vient d'épingler, en guise d'épitaphe il décide de graver dans le bois leur nom latin, *Vanessa cardui*, *Aglais urticae*, *Aglais io*, *Araschnia levana*, *Lycaena virgaureae*, à la solennité consolante. Et en hommage ultime, de ses doigts poudrés de feu et de cendre il farde les paupières de Moinette aux mains parées de minuscules scarabées émeraude, lui fait un maquillage de star. Une profusion de fleurs gave ces papillons. Début juillet est une apothéose, l'herbe monte aux genoux et les tiges et pétales s'emmêlent en écheveaux polychromes. Une agonie, en vérité, insoupçonnable : ici, pas de fanaison, de décomposition visible comme dans les platebandes au parc des Batignolles, les jardinières du balcon, les vases transparents chez les Dorselles où les têtes lentement ploient, les pétales se fripent, roussissent, les fleurs s'épuisent et périssent selon un processus familier jusqu'à la nature morte. Ici, les prés augmentés d'espèces toutes jeunes, épervières piloselles, laitue mauve, anémones soufrées, épilobes dont Moinette en hâte remplit son herbier sont arasés en pleine gloire. Parce qu'ils sont hauts, et gorgés de sève, et bourrés de vitamines qui font la viande riche et le lait abondant. La grande fauche approche, le temps des têtes coupées. Vincent ne décode pas l'empressement de Moinette, il ne se figure pas de bornes au paradis. Les fleurs, elle avertit pourtant, serrant contre elle son herbier tandis que Vincent debout sur le talus y prélève encore quelques tiges, c'est pour les vaches. Tout le monde le sait sauf lui, sauf les papillons aux vies trop éphémères pour en garder la trace dans leur mémoire d'insecte : l'été est jaune paille.

Une troisième saison à Vallorcine. Une saison neuve encore, Vincent n'a pas ici l'expérience des cycles. À Paris, l'été c'est le retour du bitume chaud, des glaces à l'eau, des bains éclair dans le ruisseau artificiel du parc à l'insu du gardien, Vadim regarde seulement, depuis l'ombre des platanes, il ne doit pas prendre froid. L'été c'est pas d'école, des jeux dehors jusqu'au couvre-feu, billes, bateaux de papier et de feuilles lancés en courses dans le caniveau, ballottés par l'eau grise et la mousse de savon jusqu'à ce qu'une bouche d'égout les avale. C'est le cinéma à volonté. C'est les jambes des femmes dénudées sous le genou, Jean choisit un banc en guise de poste d'observation, fait asseoir son frère près de lui et classe les mollets par ordre morphologique : échassiers, cyclistes, confortables, osseux, boulangers (dodus et dorés façon miche de pain). C'est les après-midis chez les Dorselles à aider sa mère. Il plie des draps, les lisse du plat de la main pour préparer le repassage, il essuie la vaisselle avec un chiffon doux, classe des livres, arrose des arbres en pots. L'été traverse à peine les murs épais de l'appartement. Le fils Dorselles, le vrai Vincent, est seulement de passage bien que sa pension soit fermée, irréel Vincent Dorselles qu'une maison en bord de mer, un séjour en forêt emportent loin de la ville dès la mi-juillet. L'été c'est l'ennui des vacances trop longues faute de copains, l'oisiveté subie, et pour combler le vide des heures durant Vadim dessine dans son volumineux carnet : le collier onyx d'une colonie de fourmis contre les plinthes ; le cratère mou dans la peau d'un fruit blet ; des failles géologiques inspirées des craquelures dans le cuir de ses chaussures ; la banquise d'un glaçon fragmenté.

L'ennui n'existe pas à Vallorcine. C'est un mot incongru, comme ticket de métro, paillettes ou réfectoire, il y a trop à faire. Louis se réjouit de cette année à foin, fruit de l'alternance des pluies de printemps et de soleil généreux et il ajoute : les foins, petit, c'est seize heures par jour en champ de la nuit à la nuit, plus les veaux, les chèvres, le cochon et l'intendance, autant le dire, une fois au lit, pas besoin de berceuse pour sombrer. Les vacances approchent, les enfants feront leur part, Vincent n'en doute pas. Alors ça ne dérange pas qu'une mauvaise bronchite cloue au lit le maître dès le début du mois, libère ses élèves avec huit jours d'avance, que l'école du Nant ne puisse pas accueillir d'un coup trente enfants de plus, celle de Barberine il n'en est pas question, que l'abbé Payot n'insiste pas pour basculer la classe en cours de catéchisme : la fauche sera précoce, on n'a jamais trop de bras, et même le prêtre fauche. C'est 14 juillet avant l'heure, la suspension totale et pour trois mois de la vie à l'intérieur. Il y a de quoi se réjouir, Vincent, ton squelette d'élève sage assis à son pupitre et ta chair bien vivante d'adolescent fusionnent, dehors n'a plus de fin. Trois mois... autant dire toujours, ou presque, à l'aune de ton existence ici. L'école aura fermé bien avant que les enfants lavent les tables à grande eau dans la cour, lessivent le sol, aèrent la classe, ils accompliront ces tâches à contretemps du tempo habituel, ça leur fera tout drôle. Le jaune, ils y auront mordu depuis longtemps.

L'inalpe précède et conditionne les foins. Dans l'almanach de 1942, Vincent en a trouvé la date inscrite au crayon. Cette année, ils ont cinq jours d'avance. Les vaches vont monter à Loriaz, un alpage insoupçonnable depuis la vallée sous l'aiguille du même nom, où sept bergers passeront la saison à les faire paître, à les traire, à fabriquer le gruyère, cédant Vallorcine tout entière aux faucheurs. Anselme, un des frères de Moinette, est de ces gardiens. Il a eu de la chance, il a fallu tirer les noms au sort parmi les candidats jamais aussi nombreux en dépit de la rudesse de la tâche – Loriaz, explique Louis, c'est une bonne planque pour échapper au STO, le travail en Allemagne. Depuis des mois, des hauts de Barberine à Balme, aux Posettes, aux Perrons, Vincent s'est construit l'image d'une montagne-refuge creusée de grottes, d'abris, d'asiles secrets pour fuyards sans visage. Les écuries de Loriaz, elles, Vincent va les voir, il est du voyage à l'alpage. Anselme, il le connaît. Les légendes deviennent vraies. Et sa fiction à lui se dilue dans une histoire plus vaste.

Il a hâte de partir, ses yeux, ses jambes, ses oreilles ont hâte. Il scrute le ciel tandis qu'aux premières lueurs de l'aube Blanche prépare leur casse-croûte à Louis, Éloi et lui, ils s'en iront avant le jour, on y est presque. Ce sera son premier vrai dénivelé. De ce point de vue, la montée depuis la gare d'Argentière jusqu'au tunnel de Montroc, le jour de son arrivée, était une promenade. Éloi s'amuse de l'excitation de Vincent. Certes Loriaz n'est pas le mont Buet ou l'aiguille du Midi mais le record du garçon, au-delà de l'ascension quotidienne de sept étages d'un immeuble haussmannien, soit cent soixante marches et tout au plus 19 mètres positifs, c'est la colline de Montmartre, 95 mètres au-dessus du niveau de l'île de la Cité. Ils ont longuement étrillé Marquise et Rouquine, examiné leurs sabots, maintenant ils troquent les sonnailles contre d'énormes cloches noires de sept kilos au tintement grave et repérable à travers la brume et la pluie, qui dans l'espace étroit de l'écurie leur vrillent les tympans. Charmante s'agite et meugle, elle sent que le départ approche, elle qui reste à la Villaz : à cause de probables réquisitions de fromage là-haut, ils préfèrent comme tout le monde monter une génisse, qui engraisse sans donner de lait, et une seule vache plutôt que deux.

— Si c'est pour gaver les soldats…

Quand on perçoit le son des clarines montées de Barberine, la pendule marque 5 h 45.

Le sentier vers Loriaz grimpe en pente douce à la lisière des champs. Whisky tire sur sa corde au passage des bêtes, il faut le voir aboyer muettement, traversé par un lointain instinct de berger : sa gueule s'ouvre et se ferme, le cou tendu vers le ciel. C'est un tohu-bohu d'humains et de bêtes fébriles, deux à trois membres de chaque famille se sont joints aux vaches encore maigres du long hiver, des hommes surtout et des enfants, portant des hottes de pommes de terre et de salaisons qui feront tenir les bergers jusqu'à septembre. Ils sifflent et crient et se saluent à mesure que les chemins se croisent, le troupeau peu à peu s'élargit et le bruit se dilate, mat du sol frappé sans relâche, métallique des cloches qui ricoche en boomerang contre les versants. Ils sont uniques, cette proximité de tant de corps, ces frottements, ces heurts de multitude, les gens d'ici sont tellement dispersés entre les hameaux et il n'y a pas de fête, aucun événement d'envergure, de marché, de place même, à Vallorcine, qui les réunisse comme cette montée vers l'alpage. À l'église où ils s'agglutinent un jour dans la semaine leurs gestes sont étroits, synchrones, cadenassés par le rite tandis que ce matin ils deviennent amples, libres et imprévisibles, ils se déploient en fresque. Cent vingt humains, cinq cochons et soixante-dix vaches marchent ensemble vers Loriaz – cent vaches d'habitude, a dit Éloi, d'habitude ça veut dire avant la guerre. Soixante-dix comme cent elles soulèvent une poussière jaune et dense, et depuis le bas, c'est sûr, on peut suivre la procession au seul déplacement de ce nuage suspendu. Le chemin qui part de la Villaz traverse des pans de forêt, des lichens barbus pendent aux branches en chevelures de sorcières, mais contrairement aux autres itinéraires on ne s'enfonce pas longtemps sous les arbres : la vue est presque continue, en balcon, si bien que Vincent visualise parfaitement le dénivelé de sept cents mètres qu'il est en train de gravir. Il faut deux heures pour atteindre Loriaz au pas des vaches, il a le temps de voir rapetisser les toits, s'étirer la rivière, s'abaisser le massif des Posettes à mesure qu'il prend de la hauteur. Le printemps, la fonte des neiges, c'était la promesse d'une conquête horizontale. L'été est la saison de la verticalité.

Moinette lui nomme les fleurs nouvelles qu'elle cueille pour son herbier, violettes, gentianes bleues, lys martagon pareils à des bourses éventrées, joubarbes fluorescentes, linaigrettes en boules de coton.

— Tu as jamais vu de violettes.

Si, il connaît même une marchande de violettes, mais il ne la contredit pas. Il l'écoute d'une oreille, accaparé par la vue immense.

— T'as jamais vu de gentianes, t'as jamais vu d'anémones, t'as jamais vu de lys.

— Non, il murmure, distrait.

— T'en reverras pas de sitôt, tu ferais bien de regarder. Ces fleurs-là elles ne poussent pas en bas.

Il préfère le ciel au sol. Quand ils franchissent la limite des arbres, le paysage surgit si monumental qu'il l'effraie. Une mâchoire enneigée cerne de blanc et d'ardoise la vallée aplatie, doublée en arrière-plan par plusieurs rangées de montagnes dont les reliefs progressivement s'émoussent, et le gris pâlit jusqu'à la transparence, jusqu'à l'effacement – est-ce que c'est de la neige ou des nuages ? Le monde est de montagnes, les hommes sont des accidents logés dans leurs plis. Heureusement avant Loriaz il y a eu les aiguilles Rouges, des volumes proches, modestes à apprivoiser. Heureusement il y a eu un palier avant l'alpage, autrement ça l'aurait terrifié. Maintenant il donne sens aux mots massif, chaîne, qui jusqu'alors n'avaient pas d'image. Vincent n'a pas idée de l'altitude de ces sommets plantés dans le ciel comme des dents, de leur masse réelle, il pressent juste leur démesure. Éloi dit que Loriaz est à 2 000 mètres, mais tout cela, en face ?

— Droit devant, Vincent, c'est le mont Blanc.

Ça ne l'aide pas, le mont Blanc est un caillou parmi des cailloux aux proportions tronquées par la distance. Ce qu'on ne peut pas mesurer, Dieu s'en empare, tous les dieux ou presque sont nés des montagnes. Dieu, ou l'art. C'est pourquoi au lieu d'écraser Vincent ce décor délirant in fine l'élève. Il flotte à l'intérieur de lui, pris d'un vertige pareil à la faim. Ça ne fait pas mal. Il se sent léger. Cristallin. À peine décollé du sol. Bizarrement reconnaissant. Il ne sait pas bien envers qui, envers quoi mais ça le submerge, il résiste à la vague et il cherche un appui, quelque chose à toucher, à serrer pour ne pas complètement se dissoudre ou plutôt se délester de ce trop-plein d'euphorie, et c'est la main de Moinette qu'il rencontre ; la petite main moite de sucs de fleurs.

— T'as jamais vu Loriaz… elle murmure, fascinée.
Il serre sa main, fort. Les vaches s'éparpillent dans
l'herbe grasse, ça crie pour les maintenir groupées
encore, ils n'ont pas de chiens dans la vallée si ce
n'est Whisky qui n'a rien d'un berger, or un chien
fait le travail de quatre hommes. Vincent reste à
l'écart de cette agitation, Moinette en sentinelle. Éloi
lui fout la paix, il a été témoin du matin de janvier
où le garçon a posé les yeux sur sa première montagne et il comprend que ça recommence, cette stu-
peur étrange et enviable. La même, en plus grand.
Bientôt Vincent lâchera la main de Moinette mais
tout le jour il sera aimanté par la vue plutôt que
par les mouvements sur le plateau, les vaches qu'on
mène aux écuries où elles retrouvent toutes seules
leur place de l'année dernière, qu'on trait, on lui
tendra un verre de lait frais ; la bataille de vaches,
les sabots qui labourent le sol, les joues des bêtes
furieusement frottées à l'herbe, les chocs frontaux,
Moinette enfoncera ses coudes dans ses côtes, c'est
Marquise qui gagne, regarde !, les cornes qui se
prennent dans les colliers jusqu'à ce qu'une vache
impose sa force, adoubée reine et ornée d'un bouquet de rhododendrons ; la bénédiction du troupeau par l'abbé sous la croix ; les jeux d'eau dans
la gouille du Sassey, une mare fraîche bordée de
glace dissimulée derrière la moraine. Il grignotera
son casse-croûte les yeux épinglés à l'horizon, sourd
aux radotages des vieux, de Louis, qui parlent de
la guerre, encore la guerre, encore la première, qui
chantent faux les mêmes chants de soldats. Dans
son dos, le soleil décroissant frappera les seize écuries en éventail, coulera du bronze en face sur les
sommets, Vincent sera pris dans un étau de lumière.

C'est un refuge de rêve pour les bergers, pour les fuyards et les fantômes – il y a de quoi se vouloir berger, fuyard, fantôme. Fantôme on le devient peut-être ici de toute façon, rendu à une modestie radicale : on n'est plus qu'air, lumière, eau.

Il fait durer un peu avant de redescendre, s'attarde avec Émile dans la combe au-dessus de la Villaz parmi les rhododendrons qui lui griffent l'épaule, jusqu'au scintillement de l'étoile du berger, ultime délai fixé par Éloi. Ce n'est qu'une fois de retour au hameau, après une course en lisière du vide où il retrouve peu à peu ses repères humains, les formes, les proportions connues, qu'il recouvre son corps de garçon, sa densité de muscles, de chair, et que le tenaille une faim de nourritures terrestres.

Il surprend Blanche, Éloi et Albert penchés au-dessus de la table sur *Le Petit Dauphinois* déplié. Ils s'écartent en l'apercevant, laissant voir Louis au centre en train de bourrer sa pipe.

— Alors Loriaz, c'est quelque chose, hein ?

Encore plein de courants d'air mais les joues cramoisies par la course et la chaleur du pèle, Vincent hoche la tête.

— Pendant ce temps, figure-toi, ils se sont mis en tête d'envahir la Sicile.

Qui, "ils" ? Éloi et Albert s'assoient à table, Blanche s'éloigne vers le fourneau. Vincent s'approche, jette un œil au journal.

— C'est où déjà, la Sicile ?

— En Italie. Une grosse île à volcan en bas de la botte. Louis tourne le journal vers Vincent. Il lit à voix haute : "De violents combats sont en cours sur la côte est de la Sicile, où les forces anglo-américaines ont débarqué."

— Les Alliés. Continue.

"Les soldats d'Eisen… Eisenhower, il déchiffre lentement, ont déjà dû faire d'amères expériences et celles-ci seront encore plus sévères pendant les prochains jours."

Ils rient.

— Amères expériences… Probable ramassis de foutaises. On va faire autrement pour savoir ce qui se passe, puisque maintenant on capte.

Ils dînent, et puis groupés autour du poste TSF, ils entendent émerger d'une sorte de cousse un long poème confus :

Tempête sur la mer gelée
La bibliothèque est en feu
La boulangère est guérie

Vincent se laisse bercer par la voix monotone, les pommes de terre cimentent au fond de son estomac.

Baissez donc les paupières
Pierre qui roule n'amasse pas mousse
La mort de Turenne est irréparable
La vertu réduit dans tous les yeux

La tête du garçon ploie irrésistiblement.

Écoute mon cœur qui pleure
Tu n'auras plus de lait

Parmi les nouvelles de Sicile jaillissent des noms splendides qui trouent un instant sa torpeur, Messine, cap Passero, Syracuse, comme des continents inconnus ou de nouveaux alpages. À voir l'éclair dans les pupilles de Louis aux mots bataille rangée, progression, port stratégique, il semble qu'il y a de quoi se réjouir, foutaises les expériences amères des forces alliées et Louis conclut ainsi les vers de tout à l'heure : ça sent le roussi chez les macaronis.

Autrement dit, petit, les Italiens ont le feu aux fesses, on dirait qu'ils ne sont plus chez eux.

Vincent ignore si c'est à la Sicile ou bien à Vallorcine que Louis fait référence. Aux deux peut-être. Il le devine, le sort des Italiens ici est lié à leur sort là-bas, mais il n'a plus la force de questionner. Il lui reste un dénivelé de deux mètres cinquante jusqu'à sa chambre et c'est le plus rude de la journée, il le grimpe assommé de fatigue puis se jette habillé sur son lit de lune. Le sommeil engloutit Loriaz, la Sicile, tout.

Il les voit arriver après le 14 juillet et il se sent volé de sa saison nouvelle. Pour Vincent, *chez soi* est une notion floue. Ça a toujours été Paris, avant, et à Paris le même appartement des Batignolles depuis sa naissance et la même chambre dans cet appartement, à l'exception de la courte parenthèse chez les Dorselles. Vallorcine n'est pas chez lui, il ne se raconte pas d'histoire, il n'a ici aucun souvenir vieux de plus de six mois mais on l'a fait venir sans lui poser de questions, on ne l'a pas chassé, nul ne conteste sa présence, nul ne menace sa vie, il a un lit à lui, une hotte à lui et un Pépé, cela suffit pour éprouver de la gratitude et un désir d'ancrage. Alors quand ils débarquent dans les hameaux en ordre dispersé, les enfants de l'été, enfants d'ailleurs plus extérieurs que lui à la vallée dont il a traversé l'hiver, le printemps entier et déjà un morceau de juillet, méritant l'été, il s'estime floué. Il se sent sur l'été des droits incessibles après ces mois de neige et d'attente. Ils sont moins nombreux que les autres années, affirme Albert, peut-être à cause de la fin de la ligne de démarcation, de l'occupation de la zone Sud. N'empêche ils sont là. Des filles et des garçons surtout venus de Lyon et d'Annecy, la plupart envoyés par le Secours national qui a pitié de la jeunesse urbaine, certains pour la première fois, d'autres non, et ceux-là le dérangent plus encore qui ont connu un été au moins à Vallorcine, ils ont de l'avance sur lui pour les mois à venir. Quelques-uns savent, même, si ça se trouve, qu'il n'est pas de Vallorcine puisqu'ils reviennent et ne l'avaient jamais vu. Mais il y a pire : les neveux ou cousins ou parents lointains de Vallorcins familiers des étés ici, ils arrivent de Chamonix, de la Roche-sur-Foron ou de Sallanches avec un pedigree. Rien à faire, de quelque côté qu'on se tourne, qu'on le compare aux habitués ou qu'on l'associe aux novices, l'arrivée des enfants d'été remémore à Vincent qu'il est un étranger.

Au début il ne s'en approche pas. De toute façon ils se tiennent à distance le plus souvent, beaucoup viennent se refaire une santé alors ils ne descendent pas en champ, ou bien c'est pour toucher les veaux ou contempler de loin le fou ballet des faux. Se refaire une santé, le motif officiel de la présence de Vincent à Vallorcine, le Secours national n'y est pour rien. La pensée l'effleure que ces enfants pourraient eux aussi avoir fui, ils ont beau arriver pâles et maigres rien ne dit qu'ils sont pour de vrai malades ou affaiblis. Seulement leur retour chez eux est prévu en octobre, pour la rentrée, a dit l'abbé Payot le jour des présentations devant la classe de catéchisme agrandie. Une migration saisonnière, donc. Juif c'est tout le temps.

Difficile de se faire passer pour vallorcin, Vincent, quand jamais on n'a fait les foins. Par chance, la fauche est un travail d'homme. D'homme vraiment, autrement dit pas de garçon – pas pour toi. Une question de taille, de muscles peut-être. Tu n'as rien à craindre de ton ignorance, aucun de tes pairs n'est à la fauche et tu ne seras pas trahi. Les hommes débutent à quatre heures du matin, une heure où tu devrais dormir mais tu veux voir, en savoir plus que les enfants de l'été alors les premiers jours tu exiges qu'on te réveille. Éloi porte une meule à la ceinture, dans la nuit finissante il t'apprend à aiguiser la lame, des étincelles jaillissent qui te rappellent la pierre frottée au mur dans le tunnel de Montroc, le jour de ton arrivée. Les hommes se répandent à travers la vallée, tu en devines la masse indécise. Ils se campent solides sous les étoiles et travaillent en silence sauf le sifflement des faux, dans le sens de la pente face au vide, les pieds en équerre pour tenir l'équilibre si bien que la lame se balance loin au-dessous d'eux. Tu te dis : on dirait des battants d'horloge. Une centaine d'horloges à perte de vue, bleu foncé contre le bleu tendre du ciel, comptant muettement le temps, droite, gauche, droite, gauche, à tempos décalés mais simultanément, quatre heures durant tandis que le jour vient et que la chaleur monte. Le parfum des foins se dilate, plus chaud du côté de l'endroit où s'étend le soleil qu'à l'envers toujours plongé dans l'ombre. Huit heures. Les autres arrivent, les enfants et les femmes. Moinette et Blanche, avec Lucien fourré dans sa hotte. Les hommes cassent la croûte, tu tiens la meule, tu aiguises, tu limes la lame entamée par la pierre, on te tend un morceau de tomme et tu es fier d'y mordre, tu as vu ce qu'ignorent les enfants de l'été et même, peut-être, pas mal de Vallorcins de ton âge. Vous, les plus jeunes et les femmes, étendez au râteau les andins, cette herbe couchée qui doit sécher vite. À midi vous déjeunez, déjà fourbus, vos bras tirent et le soleil tape. Et puis vous retournez l'herbe, plusieurs fois s'il faut, elle doit être sèche à la fin du jour. Vous n'avez pas de fourche, les dents courtes des râteaux vous obligent à davantage d'effort. Vous montez l'herbe en tas dont les hommes font des fagots de plus de cinquante kilos, quatre-vingts kilos quelquefois. Il faut soixante à soixante-dix fagots par vache pour la stabulation entière, t'a dit Éloi, impatient de transmettre, ce jour-là il commente tout ce qu'il fait, que tu saches, que tu sois une sorte de fils, tu t'en aperçois. Tu calcules : 60 fagots × 70 kilos = 4 200 kilos, il y a cent vaches dans la vallée soit 420 000 kilos de foin, c'est trop énorme pour se le figurer. Tu vois les hommes jeter les cordes au sol, enrouler les fagots et serrer pour les affermir, les peigner pour éviter la dispersion des herbes puis s'agenouiller, le front baissé comme des pénitents. Alors les femmes roulent les fagots colossaux sur les nuques des hommes. Quelques-unes poussent en plus un petit char à bras débordant de foin. Les chars et les hommes-pailles remontent vers les granges, s'y déchargent. La vallée où scintillaient les faux est sillonnée de trosses, c'est ainsi qu'ici on désigne les fagots. Ils redescendent et recommencent. Tu es fasciné par Éloi, dont l'équilibre est si parfait et la nuque si forte qu'il marche sa trosse vissée à la tête en écartant les bras. Devant les enfants de l'été tu tentes de masquer ton étonnement, toi le rat des villes, tu es censé connaître le rituel, mais tes yeux en soucoupes, tes mouvements suspendus le râteau dans la main révèlent un peu ta candeur. En fin d'après-midi, vous laissez derrière vous un semis de valamonts, ces tas d'herbe réguliers qui empêchent la rosée de pénétrer au cœur. Vous espérez une nuit sèche, la pluie serait une ruine. C'est pourquoi le dimanche, si l'averse menace, exceptionnellement l'abbé autorise la rentrée des foins, autrement c'est non, il faut un jour sûr au Seigneur, aux prières, un jour décidé par avance, une règle, sinon vous y renonceriez toujours face à l'enjeu : le 15 août vient le temps des orages, la fauche doit être terminée ou bien ça pourrit. Tu t'appliques, Vincent, à toutes les tâches qui te reviennent. Tu veux être exemplaire. Tu veux être vallorcin. Tu rives tes yeux à Moinette, tu imites avec soin chacun de ses gestes, cette chorégraphie des foins dont tu ne savais rien. Ton corps l'imprime. Ta concentration extrême fait sourire Moinette, ta raideur, ton sérieux, elle moque discrètement tes sourcils froncés, ta langue tirée entre tes lèvres en élève docile, tes regards en biais pour t'assurer que tu es indécelable aux yeux des autres. Elle t'admire, peut-être. Tu aimes modeler le paysage qui t'a modelé. C'est plus fort que le dessin. Tu le fais tien, tu laisses ta marque dans ce jaune d'or. Le soir, tu es si épuisé que tu n'as que la force de te coucher près de Lucien dans le pèle, de doucement remuer tes doigts devant ses yeux mobiles. Il a deux mois et demi, tu as compté, tu n'entends plus ses pleurs la nuit, tu t'y es habitué comme aux cloches des bêtes. Il sourit en miroir de ton sourire, babille en écho de ton babil, et vous dormez d'un égal sommeil, les nouveau-nés.

Hors champ c'est autre chose. Les chèvres de la Poya sont confiées à un enfant, toutes à la fois, une garde tournante entre les familles parce que le berger qui venait du village d'Isérables, en Suisse, et restait la saison, depuis la guerre c'est terminé. Vincent passerait bien son tour, il est nul en chèvres, il le sait, ça se verrait, ou bien il faudrait lui adjoindre Moinette et ça se verrait aussi. Restent les veaux et les génisses qu'il faut sortir matin et soir, c'est le travail des enfants et des vieillards, dès six heures à l'aube avant les foins, et après. Les veaux et les génisses sont plus calmes que les chèvres, ils ne filent pas dans les rochers, et puis Rouquine est à l'alpage et il n'y a qu'une génisse chez Moinette. Alors il a le temps de crâner devant les enfants d'été qui vagabondent dans les parages des veaux. Car question jeux et divertissements, contrairement aux foins il a de quoi épater : au printemps déjà il y avait des fleurs et du soleil, il a de l'entraînement, il fait le Vallorcin à merveille. Il leur donne à sucer des fougères au goût de réglisse. Ils n'osent pas, ils mordent, ils crachent.

— T'as jamais mangé de fiodzette ?

Leur tend des chardons dont il découpe l'intérieur au couteau, des carlines qu'on croque feuille à feuille comme des artichauts. Ils grimacent.

— T'as jamais goûté de carlines ?

Il troue des boîtes de conserve, fabrique des encensoirs où il brûle des pommes de pin, quelquefois des bouses sèches, et il y attache une ficelle, les fait tournoyer au-dessus de sa tête dans le soir qui tombe, expliquant :

— Ça éloigne les moustiques.

Et il crie que c'est l'heure de rentrer les chèvres, regardez, leurs pupilles rétrécissent.

Sous les pierres il débusque des faucheuses, en remplit des bocaux, les fait courir en horde sur les bras des enfants qui jurent n'avoir pas peur et hurlent en se frottant la peau.

— T'as jamais vu de faucheuse ?

Il fait des brosses façon chiendent, passant de fines branches de mélèze dans les trous d'une planche. Il taille des sifflets dans des bouts de saule, les sifflets sifflent mal, tant pis, décore des vernes à l'opinel qu'Éloi lui a prêté. C'est Olga qui lui avait montré. Olga… Il la faisait rêver avec Paris. Les enfants d'ailleurs, il les fait rêver avec Vallorcine. Il cible de préférence les plus petits et les jamais venus, c'est auprès d'eux qu'il a plus de chance de camper son personnage. Ce garçon de dix ans, par exemple : les mains repliées sous la nuque, il contemple la forme des nuages. Un de son acabit, se dit Vincent, il voit qu'il est au commencement, et comprend que lui n'y est déjà plus. Il lui sort le grand jeu, lui parle de la mer qui couvrait les montagnes il y a des millions d'années, des plages désertes où déambulaient les dinosaures, des fossiles de plantes et d'animaux retrouvés dans les aiguilles Rouges ; les bélemnites, tu connais ? On dirait des poulpes. D'autres enfants rejoignent son feu de brindilles. Il fait le griot, révèle que la vallée des Ours ne porte pas son nom pour rien : il a retenu la date, Louis la lui a apprise, c'est en 1885 qu'on a vu le dernier ours au pays du Mont-Blanc. Un cinéma se déploie, il est le voyant, la machine à remonter le temps. Il les laisse bouche bée. Et Moinette qui tricote en surveillant son veau se marre à l'intérieur, il le sait. Elle se tait. Elle le couvre. Il est un peu sa créature.

Ils l'aiment bien, les enfants d'été, ce raconteur d'histoires. Les plus jeunes jouent dans ses parages, changeant les veaux tour à tour en bison ou en cheval, les visant de flèches invisibles. Il les entend pousser des cris et se donner des noms d'Indiens, Celui-que-rien-ne-fait-trembler, Femme-à-la-voix-douce, Ours-plus-solide-que-la-montagne, Fille-rusée-comme-le-renard, épithètes en forme de manifestes, plus vrais que leurs prénoms parce qu'ils les ont choisies. Et toi, demande un gamin essoufflé, c'est quoi ton nom d'Indien ? Un troisième nom. Un nom choisi. Il n'en sait rien. Celui-qui-mange-des-choses-bizarres ! décrète l'enfant. Celui-qui-ramasse-des-faucheuses, Celui-qui-chasse-les-moustiques ! Il les assomme de patois. Ça l'amuse mais pas que. Certains mots lui viennent sans effort, ils ordonnent le monde propre à la vallée, ils sont la langue primitive, ne remplacent aucun vocable, l'alternative c'est le silence alors il les a vite appris : des mots comme murgers, ces langues de pierres accumulées dans le sens de la pente, pouty, voroces et larzes qui nomment des arbres jamais vus ou encore racca, cette grange à blé montée sur pilotis au-dessus d'un bûcher. Il n'y a pas de racca avant Vallorcine de la même façon qu'il n'y a pas de cousse dans les hivers parisiens. Cousse il l'a retenu dès la première fois, et croui, ce souffle qui précède les avalanches poudreuses, et patins, ces flocons de neige larges comme des bouts d'étoffe, il est beaucoup plus riche du lexique de l'hiver car l'hiver dure, la langue d'hiver est vaste comme le froid ; mais l'hiver est fini. Le seau à traire n'est pas un seau mais une seille, il n'y a pas eu de traite avant, les renforts des souliers de chasseurs n'ont d'autre nom que tricounis. Tout ça, c'est simple et immédiat, le mot passe sa bouche sans même qu'il y pense. Là où il met de la volonté, de l'intention, c'est quand au mot familier qui spontanément monte à ses lèvres, facile à comprendre par les enfants d'été, il substitue délibérément le mot local, obscur fragment de cette langue que seuls pratiquent les initiés : il dit modzon, pas veau, povotte, pas pomme de pin, roillée pas averse, rayée pas éclaircie, abocher plutôt que trébucher et le soleil se mousse plutôt qu'il se couche. Il dit coffe pour sale, taque pour besace, gouille pour mare, nant pour torrent. Cinq mille langues sur la Terre nomment chacune à leur façon les mêmes êtres, objets et phénomènes, et lui Vincent, qui ne connaît que le français, à peine quelques mots de russe dérobés à son père et un peu du patois d'ici, il sait déjà que son et sens n'ont aucun rapport d'évidence. Le lien sûr, il l'éprouve, c'est celui qui noue le son au lieu, la langue au territoire. Chaque fois qu'il préfère le patois au français il lui pousse des racines, sans s'en rendre compte il refait le choix de son père, persuadé que le français, même malmené, le relierait à son nouveau pays comme un ombilic. Il écoute Louis avec attention, le patois est sa langue maternelle, pur charabia souvent aux oreilles du garçon mais poésie, parfois, rugueuse et aussi hermétique que ces vers échappés du poste TSF, le soir, quand les Français parlent aux Français. N'empêche, à force, il retient des mots. Et il mâche consciencieusement ses phrases dans sa tête, parfois, longtemps avant de les dire pour qu'elles soient bien dites, comme on s'applique aux langues étrangères.

Quand les sons changent, les couleurs aussi. Pluie est grise mais roillée vert noir, mare est rouge mais gouille violet dense, la langue produit son propre paysage et il demande à être dessiné, cet envers merveilleux du décor, Vincent le fait quelquefois. Il veut voir Vallorcine en couleurs vallorcines, s'inclure dans le nouveau tableau. Il épouse les intonations, même, elles nuancent les couleurs, les foncent, les patinent : son souffle couche les [J] et [CH], fait traîner les O, sa bouche ferme les A, avale les E au milieu des mots. C'est un travail d'acousticien. C'est un travail de peintre. Une adhésion de tous les sens.

— T'en as jamais mangé.
Ce n'est pas Vincent qui parle, ce n'est pas Moinette. Et ce n'est pas une question. Vincent lève les yeux vers le garçon goguenard dont la bouche luisante recrache une boule de cire.
— Des rayons de miel t'en as jamais mangé, ça se voit.
Bien sûr que non, c'est son premier été à Vallorcine. Trois secondes Vincent a hésité à mordre, il a imaginé des larves au fond des alvéoles, on lui avait dit la reine pond des centaines d'œufs, les larves se nourrissent de miel, il les a crues tapies dans les minuscules hexagones. Trois secondes ça a suffi pour que Gustave devine, le prenne en flagrant délit d'ignorance. Une heure plus tôt Moinette était venue le chercher, maintenant que les fleurs étaient coupées on allait relever les quarante ruches Devillaz du côté de l'usine d'électricité. Ça tombait bien, ils avaient terminé leur journée, quinze gosses leur ont couru après. Quinze dont quatre enfants d'été, et parmi eux Gustave, un garçon de Lyon. Il a dû lire l'étonnement sur le visage de Vincent, lui qui venait ici

pour la deuxième fois, alors qu'une mariée couronnée de soleil et cernée de fumerolles s'avançait à contre-jour vers les ruches.

— Il met le voile de sa femme, a chuchoté Moinette. C'était Georges Devillaz, sous le tulle, qui tenait l'enfumoir. Georges au nez de traviole et au large poitrail, déguisé en mariée, actionnait un petit soufflet au bas de la ruche. Il l'a ouverte et une nuée d'abeilles s'est mise à bourdonner autour de sa silhouette. Il a dû voir aussi, Gustave, le regard subjugué de Vincent à chaque étape de la récolte, face aux gestes inconnus répétés dans la fumée âcre : les hausses ôtées de la ruche et brossées de leurs abeilles, le désoperculage au fin couteau de cuisine trempé dans l'eau chaude, le calage des cadres en étoile dans l'extracteur dont la femme de Georges tournait la manivelle. Tous les cadres sauf un, qui était pour eux, les quinze enfants venus assister à l'événement. Georges a tranché dans les alvéoles, posé quinze morceaux de rayons éventrés dans les paumes où le miel s'est instantanément répandu. Vincent a hésité. Les autres ont léché le miel entre leurs doigts, mordu la cire et aspiré le sirop.

— À Paris y a pas de ruches, pas vrai ?

Gustave l'a démasqué. Gustave le Gone, c'est ainsi qu'il s'est présenté au catéchisme en se frappant la poitrine ; Gone ça veut dire de Lyon, il a précisé fièrement. Il est mince, extra-sec, tellement qu'on voit saillir ses muscles et ses tendons comme sur les planches anatomiques. Mais Gustave le Gone ne retourne pas le foin, ne ratisse pas, ne monte pas de valamonts, ne sort pas les veaux, ne rentre pas de bois. À la place il distrait la galerie. Il fait la roue nickel, traverse la rivière à flot sans ôter ses chaussures et une fois sur la rive d'en face il en vide l'eau en marchant sur les mains. Il a une incisive cassée, en haut, et une courte cicatrice barre sa lèvre, stigmates d'aventurier. À cause d'un saut périlleux manqué il a dit, quand Jeanne lui a demandé pourquoi. Il a plié les genoux, bondi et vrillé sur lui-même en un salto arrière parfait :

— Des fois ça rate.

Il jongle avec des pierres, il arque en pont sa colonne vertébrale et il avance comme ça sur la sente, gros insecte incurvé, les côtes rayant son thorax tourné vers le ciel. Et Moinette rit. Et tous ils rient. Même les adultes. Ils ne lui reprochent pas son oisiveté. Il les amuse, c'est son rôle, il est doué, le fou de tout le monde dans un pays sans roi. Et il ne croit pas à Vincent le Vallorcin, ce personnage sérieux et laborieux et piètre comédien.

Vincent avale sa lampée de miel, recrache une boule de cire à son tour.

— Parce que y a des ruches, à Lyon ?

— Y en a même sur le toit de mon immeuble.

Gustave propose une partie de bras de fer. Le tournoi a commencé la veille, du côté de Laÿ et du Couteray, ce midi c'était le tour des enfants du Nant et du Morzay, ceux des autres hameaux n'y ont pas encore eu droit. Il a des bras maigres mais si sculptés, Gustave. Que du muscle. Vincent n'a aucune chance.

— Je n'ai pas envie.

Se déclarant forfait il a déjà perdu, gagner lui est égal. On pourrait s'en tenir là mais alors Gustave raille :

— Parigots, ramollos… c'est donc pas du pipeau !

Un mot de gosse, il suffirait de hausser les épaules. Pourtant Vincent est suffoqué. Une colère longtemps retenue se diffracte entre ses tempes. Une colère pure, brûlante, dont il ne saisit pas tout de suite le sens. Il ne l'a pas vue venir, elle est montée depuis les limbes pareille à une lave.

Il n'y a personne pour contredire Gustave. Même Émile sourit, qui est pourtant d'Ivry, Ivry c'est presque Paris. Mais après toutes ces années dans la vallée, Émile est moins détectable que Vincent sous l'habit vallorcin, et peut-être aussi qu'il ne se rappelle plus bien d'où il vient. En plus il a une Mémé d'ici, ça aide à tenir Paris à distance. Moinette observe Vincent qui fixe Gustave de la mitraille au fond des yeux. Sans doute elle a compris que Paris lui importe peu, qu'on moque Paris et les Parisiens Vincent s'en cogne, il n'a pas cet orgueil, d'ailleurs Paris il n'en parle pas sauf pour séduire Olga et Olga est partie, les guerres de clans, de fiefs, ça l'indiffère. Il y a autre chose. Moinette ignore, comment pourrait-elle l'imaginer, la violence subie par Vincent, par eux tous, les Pavlevitch, depuis qu'ils sont juifs, d'être bouté hors de soi et assigné à une identité pas choisie. Une résidence forcée à l'intérieur d'eux-mêmes. À son tour Gustave l'emmure, pas en tant que Juif mais c'est la fois de trop. Vincent serre les poings, cherche une issue, il a de la lave plein la bouche. Impossible évidemment de nier qu'il vient de Paris. Il faut ruser. Il raisonne à toute vitesse tandis que le garçon suce ses doigts collants de miel. Tout ce que peut Vincent c'est renverser le syllogisme où le garçon le piège : tout Parisien est faible, pense Gustave, Vincent est parisien, donc Vincent est faible. S'il récuse la conclusion, si Vincent devient fort, c'en est fini de la prémisse qui l'enferme : adieu Paris, finie l'assignation. C'est tordu. C'est malin. Il ne connaît ni le mot syllogisme, ni le mot prémisse ni rien à la rhétorique, de toute façon la rhétorique est impuissante contre le réel, seulement il n'a pas mieux pour fracasser les murs. C'est le mur qu'il refuse et à cet instant le mur est Paris. Sa voix faseye quand il murmure :

— Ramollo, je voudrais bien voir ça.

Je ne suis pas qui tu crois, qui tu décides, il faudrait entendre, tu ne sais rien de moi, ne m'encage pas. Gustave hoche la tête :

— Prouve-le.

Le Gone attend une démonstration de force, une joute de petits de coqs, c'est sûr, les autres enfants aussi. Vincent ne peut pas échouer, l'enjeu est trop énorme même s'il est seul à le connaître. Au bras de fer, il est sûr d'échouer.

— D'accord, il dit, mais ni toi ni moi on ne choisit le défi.

— Qui alors ?

— Georges, propose Émile.

Ils acceptent.

Les voilà en lisière de forêt, dans ce court interstice sans travail ni prières, entre le déjeuner du dimanche et les vêpres. Les quinze de la récolte de miel sont venus, plus une poignée de curieux. C'est Lyon contre Paris alors ? a dit Georges amusé avant de rentrer chez lui. Il a opté pour une épreuve locale, une dont ni Gustave ni Vincent ne sont familiers. Les deux mélèzes choisis par Georges sont de taille moyenne, plutôt jeunes si l'on se fie à la circonférence des troncs, mais solides. Ils tirent au sort : à Gustave celui de gauche, à Vincent celui de droite. Vincent scrute son arbre. Le mélèze de Gustave est de la même facture. Nul besoin d'être un spécialiste pour les jauger, il suffit de traduire les indices visuels :

peu touffus, donc faciles à grimper et relativement flexibles. Mais du coup, chute sans doute plus franche que depuis un tronc branchu que renforceraient les ramifications. Le but est d'atteindre le sommet, du moins de s'en approcher au plus près, puis de se laisser pendre du côté de la pente pour faire ployer le tronc en un arc souple, suspendu à la façon d'un bouchon de canne à pêche. Parachuter, Georges appelle ça. Le premier qui y parvient a gagné. Si tu te laisses aller trop bas, là où le tronc est encore large, il ne plie pas, tu perds. Si tu montes plus haut que ce que le tronc peut supporter, ton poids l'emporte et c'est la casse, tu perds aussi. Gustave est le candidat idéal, Vincent le sait, plus élastique que le mélèze, léger, agile.

Moinette glisse deux doigts dans sa bouche, donne le signal. C'est moins les mains de Vincent que sa colère qui s'agrippent à l'écorce. Elle le regarde saisir les branches, s'écorcher les paumes en silence, lèvres serrées, se hisser sans heurts comme soulevé par une corde invisible. Son ascension est moins fluide que celle de Gustave qui semble voler de branche en branche, animal sylvestre dérangeant à peine les aiguilles. Qu'importe, il avance, efficace, et il remercie l'arbre de se laisser faire. En bas ça se tait, ni cris ni encouragements, c'est plus qu'un jeu, les enfants le perçoivent. Une branche, deux branches, les aiguilles s'accrochent à ses vêtements. Un tétras-lyre effrayé frôle sa figure. Ça y est, il le sent sous ses paumes, ses semelles : le tronc oscille. Est-ce à cause de lui ou du vent ? Vincent ignore si ça suffit, s'il est assez haut pour tenter de se suspendre et de courber le tronc. Il hésite à grimper davantage. Il jette un œil à Gustave, le découvre immobile, attentif aux murmures et vibrations de l'écorce. Ça y est, Gustave va le faire. C'est l'instant d'avant, il le sent, il s'apprête à plonger. Il n'y a plus à tergiverser, une seconde de retard et c'est l'échec. Vincent desserre doucement l'étau de ses jambes, retenant son souffle, se laisse couler dans le vide, arrimé au tronc par les mains. Les deux mélèzes ploient en courbes symétriques, se figent. Voilà, les corps balancent au bout comme des décorations de Noël géantes. En face, la montagne immense. Vincent est vidé de sa lave, en surplomb des formulaires, des recensements, des lois de Vichy, de la fange de paperasses, des règles absurdes, des assignations et des syllogismes. Il fixe les Drus dans la distance, leurs bosses bleues sous le ciel indolore. Les rayons jaunes qui frappent la couche de neige. Il est un garçon suspendu. Il sait qu'il ne va pas durer, cet équilibre des forces, en attendant il est bien. En vérité, à ce stade, c'est à qui s'épuisera le premier. Il ne voit pas Moinette, en bas, remuer les lèvres en supplications à la Vierge, au dieu des mélèzes, au dieu du vent. Il attend. Ses tendons tirent sous les aisselles. Ses poignets tirent. Ses cervicales. À un moment, il voit Gustave avancer une main, puis l'autre, prudemment, vers l'extrémité du tronc qui se courbe davantage, imaginant peut-être se faire déposer à terre, triomphant de Vincent par un surcroît de grâce. Vincent va perdre. Et ce qu'il va perdre, aucun ne le mesure. Soudain, un craquement infime. Ou bien quelqu'un a marché sur une pomme de pin. Il lève les yeux vers le tronc, vers ses phalanges blanchies, rien. Un deuxième craquement. Alors il voit en face la fente s'ouvrir dans l'écorce au-dessus de Gustave, une grosse écharde poindre vers le ciel. Gustave si sûr de sa victoire écarquille les yeux. Le tronc casse net, Gustave chute. Vincent le regarde atterrir sans bruit, pile sur ses pattes, se retourner incrédule vers le tronc brisé. En bas ça se tait toujours. C'est du poids de Gustave que soudain Vincent s'allège. Il reste accroché là-haut quelques secondes encore, les yeux tournés vers la montagne indifférente et immuable. Il ne sent plus la douleur. Il attend que son corps lâche. Et quand ses pieds touchent enfin le sol il n'a plus de colère, le garçon singulier.

Sur le chemin des vêpres, tout à l'heure, Georges demandera qui de Lyon ou de Paris a gagné.

— C'est Vincent, dira Moinette.

Vincent.

— T'aurais dû voir, Georges, il a parachuté comme un Vallorcin.

Ça y est toute l'herbe est jaune, çà et là dure comme un chiendent. Il fait chaud. Certains jours en fin d'après-midi, une femme descend du train au Buet en robe et chapeau, marche jusqu'au Morzay où elle installe un chevalet sur la sente. Les enfants de l'été se massent autour d'elle. Vincent l'aperçoit de loin seulement il a les foins, quand il a fini c'est toujours trop tard. Une fois il parvient à la rejoindre avant qu'elle plie bagage, alors que le soleil tombe sur Bérard. La femme a une palette, des vrais tubes de couleurs. À ce moment, elle est en train de peindre une scène de fauche. Un tableau jaune, de jaunes nuancés selon le sol, le ciel, les vêtements, les jaunes de juillet bien reconnaissables. Un tableau fidèle au paysage réel, jusqu'au morceau de toit, là, qui entre dans la toile, c'est la maison de

Georges sur la droite, bien raccord. Les arbres sont à l'endroit des arbres, les murgers à l'endroit des murgers, l'eau à l'endroit de l'eau. Ils ont la couleur des arbres, des murgers et de l'eau.

— Elle l'a bien fait, hein ? dit une petite fille.

Un décalque parfait, et les êtres humains disparus du vrai champ continuent de faucher sur la toile. Ça rappelle à Vincent les peintres des quais de Seine, qui reproduisent fidèlement les ponts, la basilique, Notre-Dame, la tour Eiffel, rivalisant de réalisme. Cette femme peint ce qu'elle voit : du jaune, et l'hiver elle peindrait du blanc, et au printemps du vert. Elle gâche ses tubes, tout existe.

— Oui, il acquiesce, pour faire plaisir à la petite fille, elle l'a bien fait.

Par terre, une toile carrée avec coucher de soleil, une autre avec des chèvres à l'horizon, une troisième copie un morceau de hameau. La femme signe dans le coin de la toile.

— Comment vous vous appelez ? demande la petite fille.

— Liselotte Van Eyck.

— Comment ?

La femme rit.

— C'est belge ! Je suis belge. Et tu vois, elle dit, englobant d'un geste toutes les toiles, je ne veux pas oublier Vallorcine.

C'est donc à ça que ces toiles servent. La femme peint pour mémoire, comme les peintres des quais qui vendent aux touristes. Pourquoi elle oublierait Vallorcine ? Est-ce qu'elle va quitter la vallée ? Ou alors… Il se rappelle une ville très ancienne, une ville italienne avec un nom en "i" dont il ne se souvient plus, qui a été détruite par un tremblement de terre, ensevelie sous les cendres d'un volcan, et ce qu'il en reste, ce sont des peintures et des fresques. Il pense à ses propres dessins, aux contours de Blanche, à la silhouette de Moinette figés sur la feuille avant que l'enfantement les brise, avant les flèches, la déchirure, l'apocalypse. Est-ce que la femme belge pressent une catastrophe ? La petite fille oserait sans doute demander ce que c'est que cette histoire d'oubli, mais au doigt de la femme brille une pierre rouge qui capte toute son attention. Les questions, le plus souvent, Vincent se les pose à lui-même. Par manque d'audace – il est à l'âge des embarras. Et parce que la curiosité est un défaut notoire, seul le maître n'est pas de cet avis. Et, aussi, parce que l'absence de réponses a ses attraits : il sait l'incertitude amie de l'imagination et l'imagination amie de tous les possibles, pas seulement du pire. S'il pose des questions à la femme belge, il risque le pire. Il la regarde refermer ses tubes, envelopper ses toiles. Quitter Vallorcine, il songe, ces mots n'ont pour lui pas de chair. Et moins encore depuis qu'il a parachuté, qu'un mélèze l'a adoubé. Quitter Vallorcine... quelle idée, l'écroulement des aiguilles Rouges lui semble moins improbable.

Il doute quand même, lorsque de l'enveloppe qu'il reçoit de sa mère tombent des pétales de géranium rouge sombre. Il n'y a pas de géraniums chez les Dorselles. Il se demande si elle a ramassé ces pétales par terre ou si elle est retournée chez eux, aux Batignolles, où ils poussaient en jardinières. Si c'est le cas c'est que le danger s'éloigne, on pourrait le faire rentrer à Paris. Il retourne les pétales secs, fripés dans sa paume, bientôt noirs et réduits en poussière. Non, depuis le temps qu'ils sont partis les géraniums en jardinières sont morts, ce sont des pétales d'ailleurs. Il imagine sa mère les enfouir dans une poche de son porte-monnaie et sourire à l'idée d'écrire à Vadim, pensant qu'il pourra les glisser dans le médaillon de cuir, à côté de la photo de famille. Dans la lettre, sa mère ne dit rien ni des pétales ni d'elle. Elle va bien, elle est en bonne santé *ainsi que tout le monde*, l'été est chaud. Elle évoque les cousins sans les nommer, donc elle les a vus, donc ils sont à Paris, toujours, avec leurs étoiles jaunes. Elle ne dit rien du père. Elle pourrait, en le déguisant en Jean-Marie Dorselles, il devine qu'elle n'a pas de nouvelles ou ne veut pas en donner. C'est donc que le danger persiste ; qu'il n'est pas près de rentrer. Si ça se trouve, le message véritable n'est pas cette suite de mots caresses mais la poignée de pétales dont il ne sait que faire, pareils à l'averse pourpre des gazés au début de juillet, prodige ou avertissement. Sa mère l'interroge, lui, comme toujours : *tu es en vacances, maintenant, tu es content ? Et le certificat d'études ? Comment va ton asthme ?* Ce sont les foins, on le lui a dit – qui est "on ? – les foins c'est mauvais pour l'asthme, elle s'inquiète, *tu as assez de médicaments ?* Il n'a plus d'asthme, il faut le lui écrire, qu'elle cesse de s'inquiéter, il n'a plus besoin de médicaments. Il lui écrit : *je n'ai plus d'asthme, maman.* Pas une seconde il n'envisage qu'il peut être en sursis. Il sent qu'à l'intérieur de lui quelque chose a rompu, l'asthme est une relique d'enfance pareil aux dents de lait tombées. Il ajoute, elle ne le comprendra pas, tant pis, c'est sa poignée de pétales à lui : *j'ai parachuté comme un Vallorcin.* Après ça il décide d'apporter les pétales à Moinette. Des géraniums, elle n'en a jamais vu.

— Pour ton herbier.

Moinette fixe dubitative les petites peaux sombres sur le mouchoir blanc.

— Ils viennent d'une fleur de Paris, la préférée de ma mère. Un géranium.

Sa voix déraille très légèrement. Ce soir-là, dans la bassine, sous la mousse grise, il voit des poils noirs plus fins que des cheveux rayer son pubis.

Le rouge flamboie sur la figure d'Albert en train de tisonner le poêle.

— Arrivés la plume au chapeau, ils s'en iront la plume au cul !

Face au feu, Louis secoue la tête.

— Ne te réjouis pas trop vite.

Ils l'ont appris à la sortie de l'église. Les Italiens parlaient avec fièvre et une sorte de joie contenue, de petits groupes se formaient, se délitaient, se reconstituaient ailleurs. Ils étaient sortis avant la fin de l'office, un à un, on les avait vus, la porte entrebâillée les dégorgeait dehors en allongeant dans la nef des lames de soleil. Une telle agitation sur le parvis, après la messe, ce n'était pas habituel. Soucieux, l'abbé Payot a dispersé les enfants de chœur. La nouvelle s'est propagée par la bouche des Vallorcins qui comprennent l'italien. Le père de Moinette a chuchoté à l'oreille d'Éloi, Éloi à celle de Louis, et aucun ne semblait croire vraiment à ce qu'on lui disait. Une rumeur circulait qui allumait les visages, écarquillait les yeux, on aurait dit une de ces blagues grivoises qu'on n'ose pas raconter à voix haute. Et puis un Italien a lancé son chapeau loin au-dessus des têtes, l'a rattrapé en riant.

— Viva Vittorio Emmanuel !

Un chef à plume blanche l'a rabroué ferme. Vittorio Emmanuel, le roi d'Italie, a cru se rappeler Vincent. Et puis Éloi a dit : Mussolini a démissionné. Alors les langues se sont déliées. Vincent a observé la troupe de soldats fumer au soleil, bavarde, bruyante et gaie comme si on venait de lui accorder des vacances. Ils ne semblaient ni inquiets ni surpris, à l'exception du Maigre, un peu en retrait, dont la plume neuve dardait des éclairs blancs. Le soir, la TSF a confirmé le départ du Duce, mais à la place de *démissionné* on a entendu le mot *destitué*. *Des-ti-tu-é* a répété Louis, l'index en l'air, et le mot s'est mis à flotter au-dessus du pèle.

Le Petit Dauphinois l'a imprimé deux jours plus tard, le 27 juillet, évoquant des raisons de santé au départ du Duce – allons bon, et moi je suis le prince d'Égypte ! a ricané Louis. Maintenant que la Sicile est prise, les Alliés vont débarquer en Italie, c'est une affaire de jours, Louis en est sûr, et les Alpini quitter la vallée pour aller combattre chez eux. Ou bien se la couler douce, sait-on jamais, il y a de fulgurantes défaites.

— Bon débarras, dit Albert en refermant le poêle.

— Je ne suis pas sûr, dit Louis.

— Ah bon ?

— Idiot.

Albert se redresse, interloqué. Louis se tourne vers Vincent.

— Les Italiens c'est des occupants, c'est vrai, même s'ils nous laissent tranquilles.

— Les Italiens en Italie, marmonne Albert.

— Tu sais que l'armée des Alpes, l'armée française, n'a pas été vaincue ? Les Italiens ne sont pour rien dans la débâcle de la France. Les Italiens, c'est l'ennemi version molle.

— L'ennemi quand même, dit Blanche berçant Lucien, et les labiales moelleuses dans sa bouche refermées sur un "e" très doux, l'ennemi quand *mêmeux*, semblent la dédire : les Italiens, ça ne fait pas de mal.

— C'est un peu des cousins. On a été italiens ici, tu sais. On aurait bien été suisses, la Suisse c'est la continuité de la vallée, tu le vois, avant on y avait des vignes, tous, du côté de Martigny, elles couvraient la montagne, on vendangeait chaque année, et on parle presque le même patois, ç'aurait été logique. Seulement on était sardes, sarde c'est presque italien, on appartenait au royaume de Piémont-Sardaigne. Il avance les lèvres en cul-de-poule, une moue dubitative.

— Les histoires de frontières sont à dormir debout, la géographie n'intéresse personne, le pouvoir écrase tout. À la Révolution française on nous a faits français, puis on est redevenus sardes, puis Napoléon a annexé la Savoie. On a une longue histoire avec les Italiens.

— Qu'est-ce que ça change ? coupe Éloi.

— Ça les rend moins cruels, dit Louis.

Éloi sourit, sarcastique.

— Tu vas les regretter, peut-être ?

— Moins cruels que les Boches. Si les Italiens décampent on n'aura pas rien à la place. On aura les Boches.

Les soirs suivants ils murmurent longtemps dans le pèle bien après que Vincent est couché. Ils évaluent le danger, Vincent le comprend, aux tons contrastés de leurs voix il sait qu'ils ne sont pas d'accord entre eux. Bien sûr ces joutes nocturnes lui en rappellent d'autres, dans l'appartement des Batignolles, qui rétrécissaient drastiquement l'univers, rapprochaient les murs de sa chambre, atrophiaient ses bronches. Pourtant il se laisse prendre par un sommeil total. Il a parachuté comme un Vallorcin, un événement si considérable à son échelle ne *peut pas* ne pas peser du tout sur la marche du monde. Il a confiance. Les Allemands ici, maintenant, c'est inconcevable. Il ne mérite pas ça.

Les touristes le confortent : s'ils n'ont pas complètement renoncé à cette vallée plus secrète que Chamonix c'est qu'ils ne sentent aucune menace. Certains logent à l'hôtel du Buet. Quelques-uns dans des familles. D'autres viennent en train pour la journée, le plus souvent par la gare du Buet d'où partent les sentiers de montagne – à l'autre bout ça n'a pas d'intérêt, il y a la frontière, les barbelés, les douaniers. Ils se promènent pendant qu'on fauche et qu'on ratisse, on les voit depuis les champs rétrécir vers Loriaz, ou vers Balme en face, les Posettes, ou vers Bérard et Tré-les-Eaux, ou disparaître de l'autre côté du col des Montets un sac sur le dos en direction du lac Blanc, accompagnés d'un guide. Balme, Posettes, Tré-les-Eaux, lac Blanc, songe Vincent, des noms sans paysage. Les guides se recrutent parmi les Vallorcins bien chaussés qui connaissent la montagne, même si guide n'est pas leur unique métier. Ils désertent les champs et la fauche le temps d'une course, il faut que ça paie bien, dit Éloi, vu le surcroît de travail pour les autres en bas, on est tout juste à la moitié des foins. Louis dit qu'à Balme on se croit sur le toit du monde, il connaît parce qu'il y a un alpage, il y a monté des bêtes autrefois. Il n'a jamais été au lac Blanc, ni Albert, ni Moinette – au lac Blanc ? elle s'étonne, pour quoi faire ? Éloi oui parce qu'il chasse, et Émile une fois, avec son père, avant la guerre, à l'époque il était un touriste lui-même, un monchu, il se souvient vaguement de la neige autour même en plein été, du léger glaçage à la surface qui donne son nom au lac, et surtout, des hordes de bouquetins. Moi, dit Louis, je ne me fatigue pas à monter sans raison. Comme eux tous il a la marche utile. La course est une lubie d'étranger. Pour rien au monde Vincent ne l'avouerait, il aurait l'air moins vallorcin, il aimerait les suivre, ces touristes, agrandir encore le royaume. Le râteau à la main il hausse crânement les épaules tandis que les silhouettes s'engouffrent dans la forêt :

— Marcher pour marcher...

Ce qui est sûr, c'est que leur présence tempère les prophéties de Louis.

— Y en a qui partent en course et qui ne reviennent pas, dit Moinette la faucille à la main.

— Ah bon ? Comment tu le sais ?

— J'ai des oreilles et j'ai des yeux.

— C'est qu'ils ont repris le train.

— Je le vois, Jules, revenir tout seul à travers les arbres. Il y a le train peut-être là-haut sur la crête ?

Vincent n'écoute plus, il a l'oreille sélective. Il retourne à Loriaz. Loriaz il peut, c'est une marche utile, les bergers ont parfois besoin de viande et il rapporte au hameau du beurre dans sa hotte. Il monte d'une traite, une heure trente s'il cavale, ça lui laisse un moment pour éprouver à nouveau le vertige de la verticalité, se dissoudre dans l'espace face au feuilleté des reliefs à l'horizon, caresser Rouquine. Et il compte les bergers, au cas où : tous là, les huit. Pas avalés par la montagne.

C'est par le ciel que le royaume continue de s'étendre. Le ciel de nuit transparent plus profond que tous les ciels laisse entrevoir la possibilité d'autres mondes. Ce soir, Vincent a lutté contre la fatigue qui enfonçait ses paupières, l'enveloppait d'une gangue chaude et creusait à ses formes le matelas. Pour rester éveillé il a remué les jambes, pincé la peau de ses bras, a ôté ses vêtements et repoussé le drap, exposé nu à la fraîcheur nocturne. Et puis, il a rappelé le souvenir d'Olga. Il a lentement rejoué toute la scène de derrière la pierre, seconde après seconde. Le sang a brûlé dans ses veines. Il a été sa bouche et la bouche d'Olga, ses mains et les mains d'Olga, il lui a inventé des mains en plus, des bouches en plus ; curieusement, il a oublié son visage, elle était toutes bouches et toutes mains, mollusque aux succions et caresses innombrables, il a recommencé jusqu'à ce qu'images et sensations se confondent, l'enveloppent d'un magma soyeux. Tandis que la sueur séchait à son front il a regardé tourner le rayon de lune au plancher de sa chambre. Quand il toucherait le pied de lit, ce serait l'heure. C'est maintenant. Vincent descend l'escalier marche à marche dans la maison noire. Il prend son temps. Il est le seul qui pisse dehors, un motif simple pour justifier sa sortie. Avant de s'éloigner, il prend soin de faire grincer la porte des toilettes. Moinette l'attend derrière la grange. Il la suit, motus et bouche cousue. Ils marchent en tenue de nuit pour n'avoir plus qu'à se coucher à leur retour, en chaussettes à cause des plantes à épines. Ils rasent les maisons, ils grelottent. Ils montent jusqu'aux prés, sous un arbre isolé où la lune détoure une petite flaque noire. Ils s'y couchent sur le dos. Alors Vincent ouvre vraiment les yeux.

Ce ciel-là, à cause du couvre-feu il l'a seulement vu découpé dans le cadre de la fenêtre. Il l'a bien aperçu, l'hiver, en rentrant de l'école, quand la nuit tombe tôt, mais rarement, du fait de la cousse, de la neige, du blanc général. Le ciel d'août est si vaste qu'il tombe en cloche autour d'eux et il flotte au milieu, étonné de sentir, au lieu du vide, la terre dure sous ses omoplates. Les mots du maître lui reviennent en mémoire, galaxie, Voie lactée, constellations, lui il voit un sable d'étoiles jeté et gelé dans l'air. Moinette brode des formes du bout de l'index, elle murmure : la Grande Ourse, la Petite Ourse, bestiaire fantastique. Véga, Deneb, Altaïr. Ils attendent les étoiles filantes. La nuit des étoiles filantes ce serait ce soir, avait dit Moinette – t'as jamais vu d'étoiles filantes ? Elle lui a appris leur nom, à celles d'août : les Perséides. Ça valait bien une petite fugue, on ne les raterait pas.

La première raye l'espace au-dessus du chef-lieu, une incandescence que le bleu de la nuit absorbe en quelques secondes. Moinette dit qu'à la première on doit faire un vœu. Un vœu secret, ou il ne s'exauce pas. Un seul. Vincent réfléchit. Il en a tant, des vœux possibles. Il pense à Olga, surtout. À sa mère, à son père. Aux cousins. Aux Boches. À Gustave. Trop tard, décrète Moinette alors qu'une deuxième traînée fuse en flèche du côté de la Villaz. Ça le soulage, le délivre du devoir de choisir. Moinette referme sa main sur la trace diamantine.

— Attrapée !

Alors il l'aide. Retient dans son poing toutes les étoiles, même les statiques.

— Pour ta collection. Ça sera joli sur tes chapeaux de dame.

Ils les comptent dans leurs paumes. Sept. Quatorze. Vingt-quatre.

— À trente on rentre, d'accord ?

— Pourquoi à trente ?

— Faut bien rentrer.

Soudain, c'est une silhouette que saisit la paume de Moinette, au bas du sentier qui monte vers Loriaz.

— Regarde…

Vincent se redresse sur ses coudes. Un homme traverse le pré à pas rapides. Il ne regarde pas le ciel, il fixe le sol, pressé de descendre.

— On dirait Éloi… chuchote Vincent.

Moinette se redresse à son tour.

— *C'est* Éloi.

Éloi avec un sac sur le dos et à la main une paire de chaussures en plus de celles qu'il porte aux pieds. Il jette des regards inquiets autour de lui. Ce n'est pas la première fois qu'Éloi est dehors après le couvre-feu. Les enfants s'aplatissent dans la flaque d'ombre. Quand ils osent à nouveau scruter la pente, la silhouette a disparu.

— Qu'est-ce qu'il fait ?

— Tu vois, je te l'ai dit.

— Quoi ?

— Qu'il se passe des choses bizarres.

— C'est pas la première fois qu'il rentre dans la nuit.

Elle hoche la tête d'un air entendu.

— Bon, dit Vincent, on attend quarante ?

— Ça vaut mieux…

L'herbe commence à mouiller, à leur refroidir les vertèbres.

— Et maintenant, tu en as assez, tu crois ?

— Bien assez.

Avant de rentrer dans la maison, Vincent prend soin d'aller pisser et de faire de nouveau grincer la porte des toilettes. Il remonte sa culotte quand brusquement la porte s'ouvre.

— Vincent ? s'étonne Éloi. Mais… je ne t'ai pas vu sortir… Ça fait combien de temps que tu es là ?

— J'ai mal au ventre, invente Vincent en rentrant sa chemise. Juste mal au ventre, je suis resté un peu…

Éloi se racle la gorge. Il a conscience qu'il porte ses vêtements de jour, sa veste, ses chaussures lacées et trempées de rosée que Vincent fixe sans poser de question.

— Vaut mieux pas tarder dehors comme ça. Si tu es pas bien tu vas voir Blanche, tu entends ?

Vincent acquiesce.

— Et préfère l'écurie, la nuit.

Éloi regarde Vincent rentrer dans la maison avec ses chaussettes pleines d'herbe et de terre. Il ne sait pas qu'il l'a vu traverser tout le pré. Il n'a pas idée de l'aura de mystère qui l'entoure, que l'incident du 15 août, bientôt, va accentuer. À l'intérieur de la maison, une paire de chaussures inconnue sèche devant le poêle, de la grosse ficelle à la place des lacets. Le 15 août, à Loriaz, c'est la Fêtadou. La moitié du village est du voyage, l'abbé monte dire une messe à la croix et on passe la journée à courir sur l'alpage, à visiter les écuries, à prendre la mesure du lait de chaque vache, qui décidera de la répartition ultérieure des fromages. Émile fait signe à Vincent de le suivre, il l'emmène au chalet à l'Anglais, une grande bâtisse en bois érigée en plein vent par un Britannique excentrique durant l'entre-deux-guerres et maintenant laissée à l'abandon. À l'intérieur, ils soulèvent des poutres brisées, des planches déclouées,

grattent les pierres, dénichent des tessons de porcelaine de Chine, de miroir et de verre. Ils jouent aux
archéologues, aux chercheurs de fossiles. Vincent
remplit ses poches d'indices à traduire, plus tard, en
histoires. Il ne se doute pas de la découverte qu'il
s'apprête à faire dans une cache creusée à même la
terre, sous plusieurs couches de bois et d'herbe, à
l'instant où Éloi surgit dans la pièce.

— Eh bien il tient encore, ce chalet… dit Éloi en
scrutant le plafond.

Au pied des garçons bouche bée, quatre fusils et un
pistolet. Éloi s'approche, tressaille. À l'interrogation
qu'aucun des garçons n'ose formuler, il répond avec
un rire gêné :

— Il faut bien que je les cache quelque part, mes
armes de chasse… Comme tout le monde !

Éloi est chasseur de chamois. Depuis la guerre les
armes sont interdites, ça n'empêche pas la petite
chasse, les garçons le savent.

— Comment tu fais pour pas te faire prendre ?
demande Émile. Les chamois, c'est pas des renards…

— Je les rapporte la nuit, incognito. D'ailleurs,
l'autre soir, justement… il dit en se tournant vers
Vincent. Le chamois du 15 août, il n'arrive pas tout
seul dans l'assiette !

Il n'y avait pas de chamois sur les épaules d'Éloi la
nuit des étoiles filantes.

— Je n'ai plus qu'à changer ma cachette, maintenant ! Allez, filez. Et…

Il tire une fermeture Éclair sur sa bouche.

— Compris ?

Éloi ment. D'ailleurs, il n'y a pas plus de chamois
au dîner ce soir-là que sur ses épaules la nuit du
12 août.

— Je l'ai vendu, il dira à Vincent. À Chamonix, ça vaut cher.

Mi-août arrivent les orages. Ils s'y préparent. En vérité il en vient en juillet aussi mais espacés, ils douchent la vallée, reverdissent l'herbe, autorisent une courte repousse qu'on coupe à la faucille et transporte dans la grange à la hotte – du rab, dit Louis, c'est toujours ça de pris. Les orages d'août changent d'échelle, peuvent s'enchaîner chaque jour. Ils sonnent le glas de la saison des foins. Ce qu'il reste à faucher doit être fauché vite sous peine de ne plus sécher. Alors dès le début d'août ils en guettent les signes, et Vincent apprend avec eux : absence de rosée au lever du jour ; montée d'un air chaud et aqueux qui colle les cheveux à la peau, à la peau les vêtements ; nuages matinaux gonflés en choux-fleurs, et celui-là, surtout, bien découpé, qui ne s'effiloche pas et s'avance imperturbable sous la forme d'une enclume jusqu'à manger le soleil. Quelquefois se lève de l'ouest un vent violent qui prend de travers toutes les lignes du relief, annonçant des pluies torrentielles et même des giboulées de neige. Alors le foin pas encore rentré se soulève et tourbillonne en éclats dorés, somptueux signal de cataclysme. Il y en a qui disent : on entend les abeilles. Mais c'est plus haut, où la roche est nue que ça bourdonne, Éloi l'a dit. En bas, l'air a l'épaisseur d'une mie. D'un coup c'est le déluge. Les éclairs foudroient la montagne, la montagne pleine de fer, la pierre en devient électrique raconte Moinette, si tu la touches du bout de ta faucille elle étincelle et te brûle les doigts, il y en a qui sont morts de s'être collés à la roche sous l'orage ; foudroyés par la roche, elle dit. Mais le grand danger dans la vallée n'est pas la foudre, c'est le pourrissement. Dès les premiers jours d'août commence une course d'une durée imprévisible contre le ciel, ils sont tout yeux, tout ouïe, toute peau, tout muscles, ils fauchent sans relâche même le dimanche s'il faut, ils ne savent jamais ce que sera demain ; si aujourd'hui est déjà trop tard. Après le 15, le ciel crève quotidiennement. Les foins, c'est fini.

Alors un temps alenti étire les jours. Les bêtes sont à Loriaz, les foins rentrés, on quitte août sans entrer nulle part. Au début, ils sont embarrassés de ces heures rien qu'à eux. Les hommes terminent mollement les charpentes commencées au printemps, l'hiver peut venir dès septembre, dès septembre les premières neiges. Puis ils s'accordent des pauses sur les bancs, ils bavardent au soleil devant les maisons. Ils s'attardent au chef-lieu, à la coop. Certains travaillent tout de même sur des chantiers à Chamonix, le repos ça ressemble à la mort.

Eux, les enfants, sont soudain en vacances. Le désœuvrement leur est un exotisme sans volupté. Ils l'essaient comme un habit trop grand. Peinent à peupler le vide. Ils ont des corps oisifs et elle fait presque mal cette brusque rupture dans l'effort. Perchés sur un murger, Vincent et Moinette contemplent les champs jaunes tachés du pelage des veaux, des chèvres, des quelques vaches pas inalpées. Des enfants tournent autour, les mémés tricotent près d'eux tant que le ciel est sec. Elles ont l'air vieilles, beaucoup plus vieilles que leurs maris, beaucoup plus vieilles que les vieux. Elles croisent lentement, inexorablement leurs aiguilles, écrasées de chaleur. Ils regardent longtemps les oiseaux piquer la terre du bec, les bergeronnettes faire la bascule, soulevant et abaissant alternativement la queue et la tête pour débusquer et gober des insectes sur les champs arasés. Ils errent, un caillou sous la langue pour faire du froid. Dans les prés l'herbe est cassante, griffe leurs mollets, les fleurs grillées des renouées y laissent des traces noires.

L'énergie stockée par leurs muscles exige un exutoire. Ce qu'ils en font : ils cueillent des myrtilles, des hottes entières, à tatouer pour longtemps leurs ongles et leurs lèvres. Ils ramassent des fraises des bois, des framboises pour les conserves et les confitures. Ils sarclent les jardins. Sur les feuilles de pommes de terre vert vif ils récoltent les doryphores, les entassent dans des bocaux, les jettent par poignées dans le feu où ils crépitent comme des pommes de pin. Ils chassent les guêpes que les orages excitent, une fois Vincent suce une piqûre au poignet de Moinette, un poinçon sur sa peau de lait, il y laisse un suçon plus violet que ses ongles et sa bouche – si ça se trouve, elle exulte, ça ne partira jamais. Ce n'est pas assez, ils ne les épuisent pas ces gestes à amplitude étroite après les jours de fauche. Ils inventent des jeux risqués : placer une serpillère sur une cheminée pour enfumer le pèle en dessous ; croquer les carottes enfin mûres aux Granges ou aux Ruppes où le soleil est le plus généreux, en aspirer le sucre et replacer les fanes bien droites ni vu ni connu. Si tu es pris, tes reins rossés s'en souviennent mais justement, ils préfèrent un souvenir un peu rude à rien. Vincent vole des merises dans l'un des rares fruitiers, évitant les clochettes fixées aux branches en guise de dissuasion, une partie de mikado perchée où il se faufile à travers les feuilles sans déranger l'ensemble jusqu'à décrocher le trophée minuscule, rose pâle presque jaune et un peu amer, un noyau plus gros que la chair. Moinette grave patiemment, point par point, en plein zénith, à la loupe et aux rayons de soleil, son prénom et son nom dans le bois de sa luge. Un jour Émile brandit un bocal contenant une vipère toute gonflée, qui le lendemain rend une souris pas encore digérée. Un autre, Jeanne rapporte de l'Eau Noire une marmotte molle noyée par l'orage. Gustave trouve un bonnet de laine pris aux branches d'un sapin foudroyé, curieusement il n'appartient à personne et il le porte, lui, enfoncé bas sur sa blondeur. La chaleur les cloue parfois à l'ombre, l'ombre est rare à Vallorcine, au-dessous de la forêt il n'y a quasi pas d'arbres, même au bord de l'Eau Noire. Des brochettes d'enfants s'alignent le long des maisons contre les murs de pierre, yeux plissés, peaux moites, pieds ballants, en attente de l'averse ; ou bien ils disparaissent à l'intérieur et contemplent l'orage fondre derrière les vitres.

Les Italiens traînent dans les rues du chef-lieu, indécis, août a des airs de sursis. Ils n'osent plus s'asseoir, ni sur les talus, ni sur les bancs, ils restent debout, aux aguets, les jambes mobiles, comme prêts à partir. Les Allemands se rapprochent, on raconte. Des unités apparaissent en Haute-Savoie, dans la zone italienne, ça se sait. Qu'est-ce que je disais, répète Louis, collant l'oreille à la TSF. Les 9 et 10 août ils sont déjà à Rumilly. On les attend à Bonneville, et surtout à Annecy, douze mille hommes d'un coup, non mais Albert tu te rends compte ; et à Chambéry bientôt. Le jour jaunit à outrance. Raccourcit. Peine à surgir des brumes matinales.

Souvent l'après-midi Vincent somnole près de Lucien. Fait voyager des objets devant ses yeux, mouchoir, branche, cuillère argentée, boîte de sel secouée en hochet. Il répète les mélodies que lui fredonne Blanche, regarde les bulles minuscules éclater à ses lèvres. Il attend la prochaine saison.

— C'est comment les Allemands ? demande Marthe.

— Méchants, dit Gustave.

— Comment tu le sais, toi ?

— Y a les Boches à Lyon.

— Méchants comment ?

— Comme des vainqueurs.

Émile fronce les sourcils, pas sûr de comprendre.

— Ils te donnent des ordres et tu dois obéir, sinon…

— Sinon quoi ? demande Jeanne.

— Ils t'arrêtent. Ils te frappent.

— Ils te tuent ?

— Si ça leur chante. Ils font ce qu'ils veulent.

Moinette remue le feu de poche sur lequel elle fait cuire, dans une boîte à cirage, une confiture de framboises.

— Et à Paris ? demande un enfant d'été.

Moinette lève les yeux vers Vincent. Ces questions-là, sur les Allemands, elle ne les a jamais posées. Vincent fixe le garçon :

— D'où tu es, toi ?

— De Sallanches.

— C'est où Sallanches ?

— Ben… à Sallanches, quoi !

Tout Vallorcin sait où est Sallanches. L'imbécile. Vincent sonde le garçon l'air de rien, laissant traîner la fin de sa phrase.

— Il y a les Italiens…

— Ben oui.

— T'as jamais vu d'Allemand…

Aucun n'a vu d'Allemand, sauf Gustave. Si Vincent répond à la question sur les Allemands de Paris il remet ses habits de Parisien, il s'assigne tout seul, le parachutage depuis le mélèze n'aura servi à rien. Il regarde Émile au milieu du cercle :

— Dis-leur, toi, puisque ton père y est.

— Il est à Ivry.

— C'est pareil.

— Je le vois pas, mon père !

— Il t'écrit.

— Si tu crois qu'il me fait le portrait des Boches…

Tous ils fixent Vincent. Ils attendent. Il est seul à savoir.

— Pires que les Italiens ? insiste Marthe.

Vincent hausse les épaules.

— Je ne me souviens pas.

Le feu crépite, les framboises oubliées crament dans la boîte en fer, forment une bouillie sombre où s'englue un morceau de bois. Alors revient à Vincent la vision de la chair sanglante dans la gueule du chien à bord du train entre Paris et Lyon, en janvier dernier. L'agent de la Gestapo venait de contrôler leurs papiers, le laissez-passer autorisant la sœur à quitter son couvent de Chamonix et à y retourner après une visite à sa mère malade, et le certificat médical de Vincent Dorselles, ce petit-neveu qu'elle accompagnait à la montagne où il allait guérir son…

— … asthma ? avait interrogé l'Allemand, dévisageant Vincent.

Vincent avait hoché la tête, le crayon suspendu au-dessus de son carnet. L'Allemand avait toussé, mimant pour être sûr, une main sur la gorge : asthma ? Il avait rendu les papiers, s'était lentement détourné mais le chien continuait de fixer Vincent, ne remuant pas une oreille. Statuaire. L'une des canines entamait sa babine. Vincent s'était dit : il sait, le chien. Soudain un homme avait traversé le wagon, cherchant visiblement à fuir. L'agent de la Gestapo avait lancé le chien qui avait refermé ses mâchoires sur la main du fuyard à pas deux mètres. L'homme hurlait et secouait sa main, sa main couleur framboise écrasée que ses mouvements déchiraient entre les crocs du chien et que la manche de la sœur tentait en vain de cacher au garçon. Le chien avait repris sa pose de sphynx. L'homme gémissait, et lui, sa proie immonde dans la gueule, fixait Vincent, tranquille. Le fixait encore.

— Les chiens…

— Quoi les chiens ?

Les mots sont sortis de sa bouche sans qu'il y pense. Il cligne des yeux.

— Les Allemands ont des chiens, il murmure.

— Comme Whisky ? demande Jeanne.

Il secoue la tête.

— Des vrais chiens. Des chiens qui mordent.

C'est le jour où ils vont aux truites du côté de Pont Maria, en descendant la route vers Barberine, qu'ils les aperçoivent, Moinette, Jeanne et lui et le père de Jeanne. Un groupe d'hommes et femmes inconnus escortés par les gendarmes, portant des valises lourdes qui leur font une épaule trop haute. Ils passent devant eux, voyageurs silencieux et lents, vêtements trempés par l'orage. Des hommes et des femmes *tombés*, pense Vincent devant les chemises, les vestes, les robes sales empesés de pluie et de boue, les cheveux plaqués détourant des visages blafards et dans les visages des yeux tombés cernés de noir, des bouches tombées, et certains fixent le sol en marchant comme si tout le corps allait suivre. Et autour, les gendarmes impeccables en capes et képis. Ils s'écartent pour laisser passer la cohorte qui remonte vers le chef-lieu. Ils ne peuvent venir que de Barberine, ces gens, se dit Vincent, ils tournent le dos à Barberine, il n'y a rien que Barberine au bout de la route, et après, la frontière.

Des Juifs, dit le père de Jeanne les regardant s'éloigner. C'est quoi des Juifs ? demande Jeanne. Des malheureux, dit le père. Jeanne veut savoir pourquoi ils sont malheureux. Ils voudraient passer la frontière, aller en Suisse, mais on leur interdit.

— Nous non plus on n'a pas le droit d'aller en Suisse.

— On n'en a pas envie.

— Et pourquoi ils en ont envie ?

— On leur fait du mal.

— À Vallorcine ?

— Non pas à Vallorcine.

— Mais les gendarmes, c'est ceux de Vallorcine…

— Faut qu'on aille les prendre, ces truites, les enfants, parce qu'elles, personne ne les empêchera de filer côté Suisse.

L'image des gens tombés flotte en Vincent longtemps après qu'ils ont disparu dans le virage sous le Mollard. Cet homme à la barbe drue, au chapeau mou, à la maigreur terrible. Cette femme défaite, la robe collée à une poitrine tombée. Des malheureux, a dit le père de Jeanne. Des malheureux fracassés contre une frontière. À cet instant c'est impossible d'être seulement Vincent Dorselles. De se croire vallorcin. D'échapper aux siens, à Paris, à Vadim. À Pont Maria, il voit les bouches des truites attrapées par le père de Jeanne s'ouvrir et se fermer au fond de la seille, les truites lentement asphyxiées et personne ne répond à l'appel. Au dîner ce soir-là, il n'est pas question des quinze arrêtés par les gendarmes. Vincent ne touche pas à la truite que lui cuisine Blanche, *ton* poisson, elle dit, solennelle, faisant glisser la peau croustillante et dorée de la poêle à l'assiette, dépitée qu'il n'ait pas d'appétit. Dans ses rêves, les Juifs tombés auront des têtes de truites.

Il sonne étrangement, l'Évangile selon saint Matthieu lu le lendemain par l'abbé Payot, qui exige de nourrir qui a faim, d'abreuver qui a soif, d'accueillir l'étranger, de le vêtir s'il est nu, de le soigner s'il est malade, de le visiter dans sa prison sous peine d'offenser Dieu. Amen, dit gravement l'abbé en refermant le livre, et dans l'écho confus de l'assemblée il y a une sorte de nuit. C'est difficile, de ne pas se sentir Vadim.

Et douloureux, même, quand Moinette pointe le tampon apposé sur la carte postale qu'il reçoit de sa mère, déchiffrant :

— Li-si-eux. C'est où Lisieux ?

Il n'avait pas vu. Il attrape la carte, vérifie. Lisieux, oui. Le pensionnat du vrai Vincent, la maison de campagne des Dorselles.

— À la campagne.

— Pas à Paris alors ?

— Non…

Il n'y a pas de frontière à Lisieux. N'empêche, Sophie est partie. Il ne sait même pas s'il peut encore lui écrire. Quel voyage elle fait. À cet instant sa mère n'est plus que cette femme à l'épaule déboîtée, femme tombée à la valise trop lourde disparue sur la route du chef-lieu avec une truite à la place du visage. Il sent se resserrer ses bronches. Il voit les truites au fond de la seille, leurs bouches béantes et vaines, il a envie de vomir. Il monte à sa chambre, ouvre sa valise, cherche les comprimés d'aminophylline. Il les garde longtemps sous la langue avant de les avaler, jusqu'à ce que l'amertume nappe entièrement ses muqueuses, sa langue, sa gorge, jusqu'à ce qu'il respire. Il n'a pas dessiné depuis longtemps et maintenant, à genoux devant la valise, d'un bout de crayon noir, il fait le portrait de sa mère en femme à tête de truite.

Gustave le Gone revient à la charge. Il veut sa revanche sur le parachutage manqué. Aux parois de Bérard, il exige, à droite de la cascade. À mains nues. Tu l'as jamais fait ? Moi non plus, on est à égalité. Vincent sait que c'est faux, Gustave a des ventouses sous les paumes et les plantes de pieds, un corps caoutchouc rodé à toutes les contorsions, et puis léger, léger. Il se vante d'escalader les façades d'immeubles, à Lyon. Le jour du mélèze Vincent a eu de la chance, Gustave a seulement été imprudent. De la chance deux fois, il n'y croit pas. En plus, les parois à pic et mouillées de Bérard sont une planche à savon.

Il n'a pas peur, étonnamment. Ça tombe bien, peut-être, il se dit. Vaincre Gustave, ce serait renier une nouvelle fois d'où il vient. Oh il l'a voulu, terriblement, être un autre, être *plus*, et même, passer pour un enfant d'ici sans aucun compte à rendre à la vie antérieure. Échapper à l'assignation, à toute force – au Parigot ramollo, se sont mépris les autres, ils l'ont cru fier. Il a presque réussi. Mais il y a eu les Juifs de Barberine, et maintenant le possible exil de sa mère à Lisieux. Il leur doit une défaite. Un ralliement. Et maintenant, collé à la roche humide, il les porte sur son dos, eux tous, lesté du poids de leur malheur, il tire sur ses bras au lieu de pousser sur ses jambes, l'escalade il y connaît que dal, ses muscles tremblent sous la charge. Il a accepté le défi de Gustave parce qu'il n'a pas trouvé de motif avouable pour refuser, il aurait fallu se justifier et pas qu'auprès de lui, auprès de tous les enfants, de Georges, et si ça se trouve d'Éloi, Albert, Louis, Blanche. Il a dit oui pour pouvoir se taire. Et aussi, sûr de perdre, pour se faire pardonner par les siens de les avoir trahis.

Il peine, évidemment. Ils sont partis de la même roche cernée d'eaux bouillonnantes mais dès les premières secondes, Gustave prend plusieurs mètres d'avance, agrippant chaque branche, branchiole, glissant ses doigts dans les anfractuosités les plus minces, prenant appui du bout des orteils sur d'étroites corniches ; il a son seul squelette à soulever. Vincent ne lutte pas, pas vraiment, il a choisi son camp et étrangement les éléments acquiescent. La mousse s'effrite sous ses doigts. Les prises se refusent. Ses semelles dérapent. Il ne voit pas Moinette en bas friper sa jupe dans ses poings. Ce Vincent-là ressemble au Vincent de janvier, hésitant et fragile. Où est passé le voleur de plume ? le parachuteur ? Le fracas de la cascade est assourdissant, glacial l'aérosol de gouttelettes que les cils n'arrêtent plus. Vincent lève la tête vers le promontoire qu'ils ont prévu d'atteindre, un bec taillé dans la pierre juste assez large pour deux pieds à plat ; il sait qu'il n'y parviendra pas. Il regarde Gustave lentement s'en approcher, une reptation verticale souple et sûre et ininterrompue. Lui, la nuque renversée il agrippe la roche, s'y casse les ongles dans le seul but de suivre des yeux l'ascension jusqu'au bout. Il y a une volupté à échouer face à pareille beauté. À s'effacer. Il essaie encore, monte sa jambe à l'équerre, se hisse de quelques centimètres. Quand Gustave se dresse enfin là-haut, se retourne, les bras levés en signe de victoire, pousse un long cri de loup que la montagne diffracte et que tous les enfants sauf Moinette prolongent, hurlant et frappant des mains, Vincent ne résiste plus. Son corps épuisé se relâche, ses doigts tétanisés s'ouvrent en fleurs froissées. Et il tombe dans l'eau de Bérard avec son fardeau, le garçon loyal ; tombe, avec les Juifs à tête de truite.

C'est Albert qui lui pose l'attelle. Il faut redresser le pouce, ça va faire mal. Il verse à Vincent un verre de liqueur. Vincent boit. Il s'est fait engueuler, c'est la première fois.

— Tu aurais pu te tuer, dit Blanche, les dents serrées. Elle en veut à Vincent. Il lui avait promis de ne pas mourir.

La belle ! ont illico exigé les enfants à peine Vincent sortait de l'eau, trempé, blafard, le pouce à l'envers mais le reste du corps intact. Les ex æquo ils n'en voulaient pas, toute guerre demande un vainqueur et l'histoire n'était pas finie. Moinette leur a sommé de se taire, ils sont retournés aux hameaux en procession muette. Avec cette attelle, de toute façon, il est tranquille pour un moment.

— Qu'est-ce qui t'a pris…

Comment répondre. Il répète qu'il est désolé et il est sincère, même s'il ne regrette rien. Vincent mord le torchon qu'Albert lui enfonce dans la bouche. Une douleur fulgurante lui coupe le souffle. Il recrache le torchon, Blanche lui ressert un fond de cette gnôle au goût de foin et son œsophage flambe. Des taches vertes et jaunes peu à peu se dilatent, se rétractent devant ses yeux, finalement les murs plient. On l'allonge, il fixe le plafond qui s'enroule en spirale infinie. Les angles se brouillent, les côtés du quadrilatère se dédoublent, les poutres ondulent. Tout à l'heure, usant les derniers millimètres d'un moignon de mine noire, il fixera de sa main valide cette image d'un monde tremblé. Une montagne aux contours multiples, trois, quatre flancs flous mal superposés, un sommet mouvant, l'île haute proche de l'écroulement. C'était l'alcool, il se dira plus tard, se rappelant la scène. Ou bien, la lucidité.

— Il faut que tu partes, Vincent.

Éloi lisse son pantalon sur le plat de ses cuisses. C'est tout ce qui bouge, ces mains lentement passées sur la toile, dans la pièce soudain gelée où un instant avant Blanche berçait Lucien, Louis grattait sa pipe, Albert se balançait au-dessus de ses cahiers de compte sous le halo de la lampe. Non qu'ils soient surpris par les propos d'Éloi – ils n'ont pas d'étonnement sur le visage, ils savaient qu'il allait parler, il parle au nom d'eux tous – mais cette déflagration des mots dits à voix haute, ils ne l'attendaient pas. Est-ce qu'on n'est jamais prêt pour pareille annonce, de toute façon. Vincent lève les yeux, vaguement tiré de sa lecture, un sourire aux lèvres rapporté de la scène dont il vient de s'extraire. Éloi peine à soutenir son regard, s'efforce de maintenir ses traits impassibles bien qu'une masse énorme pèse sur sa nuque. Vincent n'a pas dû entendre, à contretemps d'eux tous, les sons n'ont pas pris d'épaisseur ; son sourire flotte. Il faut que tu partes, répète doucement Éloi. Tu entends Vincent ? il faut que tu partes.

— Que je parte… Moi ?

Il est seulement interloqué.

— Ça devient risqué ici… Vraiment risqué.

Le livre se referme sur les genoux de Vincent. Il ne comprend pas.

— Partir où ?

— Quitter Vallorcine.

Alors ça y est, il retourne à Paris.

— Aller en Suisse.

La Suisse… Partir pour la Suisse. Les mots se déplient dans le cerveau de Vincent, en appellent d'autres, fabriquent des images. La Suisse. La frontière. Le lieu interdit. Pierre de Barberine traversant le ruisseau à contresens du soleil sur injonction de l'abbé Payot, les réfractaires du STO passés en cachette, la contrebande de tabac. Et puis : les Juifs de Barberine. Les Juifs en fuite arrêtés à la frontière suisse. L'idée vrille, entre dans sa chair. Il les sent revenir, les corps, s'accrocher en grappe à son dos, nouer leurs bras autour de son cou, depuis Bérard ils ne s'éloignent plus mais cette fois ils serrent, serrent tellement fort. La Suisse où *lui* va fuir. Parce qu'il est des leurs. C'est la réplique d'une scène déroulée dans la cuisine des Dorselles peu après Noël, l'année dernière, il faut que tu partes avait dit sa mère, c'est trop risqué ici, il avait obéi.

Ce qui suit arrive dans un rêve. Les Italiens vont quitter Vallorcine, dit Éloi, c'est une question de jours, peut-être même abandonner la guerre. Après les Allemands auront le champ libre, Louis a raison, ils sont aux portes de la vallée. Ils ont peur pour lui, Vincent le perçoit dans la voix faseyante d'Éloi qui est leur voix à tous bien qu'il ne prononce pas le mot peur, c'est la voix de Mme Dorselles quand elle évoque cette vallée à l'abri des regards, dans les Alpes, un jour d'automne 1942. Ils ont peur pour eux-mêmes aussi, sans doute.

— En Suisse, il n'y a pas la guerre. C'est un pays neutre. On y trouve beaucoup de réfugiés.

Il écoute, hébété, les ongles plantés dans sa paume par soucis de vigilance et l'espoir d'un retour au réel, mais il est dans le réel. Il est question de prévisions météo incertaines, d'une revanche possible des éléments après un été si beau, si chaud, présage de neige précoce, de cols empêchés dès septembre ; il est question d'aller vite. Les mots frappent en rafales les tympans de Vincent, ricochent, il y a trop de mots d'un coup. Loin, très loin, le babil de Lucien fait un bruit d'eau. Il enfonce ses ongles plus profond dans sa chair. Rien n'y fait, tout ça arrive.

— Comment tu t'appelles, Vincent ?

Il sursaute. Cette phrase… Cette phrase incroyable. Près de huit mois qu'il est à Vallorcine. Comment tu t'appelles. Ils finissent par où tout commence. Cette phrase plus insensée encore : comment tu t'appelles, *Vincent*.

— Ton vrai nom, c'est comment ?

Alors il remonte, le nom englouti, baudruche vidée de sa substance, un souffle maigre le hisse à la surface :

— Vadim Pavlevitch.

Éloi se penche.

— Vadim… ?

— Pavlevitch.

— Vadim Pavlevitch, il articule, hochant lentement la tête.

Et ils s'essaient au nouveau nom, les autres, chacun, leurs bouches forment à voix basse les cinq étranges syllabes.

— Donc…

Éloi s'éclaircit la gorge.

— … Vadim…

Lui aussi, le garçon, doit réapprivoiser le nom. Vadim Pavlevitch, si étranger à Vallorcine. Le nom à tête de truite.

— … ce sont les enfants qui passent le plus facilement en Suisse.

Il ne connaît rien de la Suisse sinon que les Vallorcins y ont eu des vignes. Et puis les dents de Morcles. La Suisse c'est la lune.

— Et ma mère ? il s'inquiète soudain. Elle est prévenue ma mère ?

— On ne sait pas où elle est pour l'instant… On ne sait pas où sont tes parents. En Suisse on s'occupera de toi.

— Qui ça ?

— Des gens. Des gens comme nous, je ne sais pas qui exactement.

— Mais ma mère, comment elle saura où je suis ?

— On lui dira.

— Comment ?

— On trouvera.

Il roule des pupilles affolées.

— Je veux lui parler, je veux lui téléphoner demain.

— On ne sait pas où elle est, je te dis. Et puis…
tu pars cette nuit.

Qu'est-ce qu'il raconte… cette nuit ! C'est ça, vite ?
Cette nuit. Vadim bat des paupières. Écoute la pierre
tomber au fond du puits.

— La météo est bonne, il n'y a pas de temps à perdre, elle peut changer d'un coup.

Et lui d'une voix atone, presque résignée :

— Je ne veux pas partir.

Blanche s'assoit à côté de lui.

— C'est beau, Vadim… Vadim, Vadim, on dirait
une chanson.

Chansong. Elle est si tendre, cette voix qui le chasse.
Il se rappelle que Blanche l'avait entendu dire
Vadim quand il avait téléphoné à sa mère le lendemain de son arrivée, à la coop, elle l'avait corrigé,
lui avait fait répéter mille fois le nom de Vincent
Dorselles, il l'était devenu grâce à elle. Alors, elle
n'avait parlé de *Vadim* à personne. Même pas à eux,
ici. Elle fait même semblant de l'avoir oublié. Blanche caresse les cheveux du garçon tendu comme
un arc.

— Tes boucles ont repoussé…

— Je ne veux pas.

Sa main retombe.

— Tu n'es pas seul à devoir partir, tu sais. Éloi, je vais
les chercher.

Il entend Blanche descendre l'escalier vers la cave.
Quelques longues minutes la scène est à nouveau figée. Un homme et une femme inconnus remontent
avec elle, très grands, vêtus d'habits de ville. Ils restent

debout au milieu du pèle, encombrés de leurs jambes, de leurs bras, de leurs têtes de truites.

— Voncen ? dit la femme, un doigt pointé vers Vadim. Voncen ?

Et montrant sa poitrine elle prononce : Anna. Moi, Anna. Et Ian, ajoute Blanche en désignant l'homme. Vadim fronce les sourcils.

— Des asthmatiques… elle dit.

Voilà.

Ça fait trois jours qu'ils sont en bas, indécelables, à tout entendre et à se taire, à force ils ont retenu le nom du garçon. Ils viennent de Hollande. Lui c'est Vadim, corrige Blanche. Pas Vincent. C'est Vadim, maintenant. Et se tournant vers lui :

— Ils s'en vont avec toi.

Et puis ses yeux brillants le prennent en étau :

— Je te l'ai dit dès le début, je ne veux pas que tu meures. Tu m'as promis. Tu dois partir.

Le départ est prévu à minuit et demi, pour se déplacer sans être vu et arriver avant le jour. Écoute Éloi, dit Blanche, écoute-le bien, et ses deux mains menottent ses poignets, après je m'occupe de toi, de toi seulement. Lui voudrait briser quelque chose, il y a ce garçon en lui qui dégage ses mains, fracasse ce décor de fiction, abrège la scène impossible, brûle cette fin de scénario médiocre et se rue au-dehors mais il reste vissé à sa chaise, tétanisé, car il comprend que tout ça est vrai.

Éloi explique qu'ils monteront à Loriaz, ce sera l'heure de la traite, vu l'agitation, le vacarme des cloches et les meuglements, les bruits de leur passage se fondront dans l'ensemble, on ne les repérera pas. Ils poursuivront vers la Suisse par le col du Passet, jusqu'en contrebas du barrage – c'est la montagne de Barberine, peuplée par Moinette de disparus, d'errants, de spectres et de cadavres gelés et il se voit errant, spectre, cadavre gelé. Les Suisses surveillent moins cette portion de la frontière que la frontière franco-italienne, nettement plus fréquentée depuis la chute de Mussolini, tant mieux. Quant aux gendarmes, ils se concentrent sur la vallée plus que sur la zone de montagne où le passage est ardu du fait des éboulis, des combes masquées sous les rhododendrons, de la raideur des pentes ; plus ardu donc plus rare. Éloi parle en habitué de ces expéditions, il est évident qu'il n'improvise pas. Il répète plusieurs fois les mêmes phrases aux Hollandais, accentuant certains mots, rocher, attention, trou, mimant les reliefs avec les mains, ponctuant son exposé de d'accord ? compris ? jusqu'à ce qu'ils acquiescent. Pas un mot tout le long du trajet, surtout, il ordonne. Pas-un-mot, il détache chaque syllabe puis scelle sa bouche de son index. Il mentionne un tunnel où se cacher après Emosson jusqu'à ce que les patrouilles suisses aient terminé leur ronde. Il redit : tunnel, attendre, suisses. Sur un bout de feuille il dessine grossièrement l'alpage, large flaque entre les montagnes, et le tunnel en boyau noir, et après avoir tapoté le cadran de sa montre, il fait sortir du tunnel trois silhouettes à coups de flèches. Deux flèches dans une direction, ça c'est vous. Une flèche à l'opposé, ça c'est toi, Vincent. Il dit Vincent, se reprend, Vadim, Vadim Pavlevitch c'est un nom fort, il a ses chances en Suisse à condition qu'il arrive seul. S'ils le croient l'enfant de ces deux-là, ils risquent tous les trois le renvoi en France. Les Hollandais ont de toute manière moins de chance que lui de passer même s'ils l'accompagnent tandis qu'un enfant seul de moins de seize ans on ne le refuse pas ; avec des parents c'est une autre affaire.

— Séparation, donc, compris ?

Séparation. Solitude.

— Et toi, tu seras où ? s'inquiète Vadim en scrutant le croquis.

— Parti. Je vous laisse à la frontière. Je ne vous serai d'aucune aide, et si on me prend…

Une fois en Suisse, il martèle, ne jamais, jamais mentionner le nom Ancey.

En contrebas du tunnel, le village de Finhaut, le crayon sur la feuille en figure les maisons. Il y a des bergers. Ils devront frapper à une porte et tenter leur chance, raconter leur histoire – ce mot *chance* qui revient constamment, cette part de hasard…

On ne lui en a jamais tant dit par avance, à Vadim. Il a eu l'inconnu chaque jour ici, il s'y est frotté sans avertissement, sans instruction, il a aimé cette immédiateté, la plongée excitante, la surprise perpétuelle, l'énigme résolue par la seule expérience.

Ensuite Éloi ne s'adresse plus qu'à Vadim. S'il est pris par les Suisses, s'il est reconduit à la frontière, parce que c'est ce qu'ils font, le plus souvent, quand ils t'arrêtent, te reconduire à la frontière, c'est tout…

— Tu as dit que je passerais.

Si par malheur il n'y arrivait pas, qu'il rentre à la Villaz. Par le même chemin. L'important, c'est de ne pas croiser de gendarmes, du moins pas avant Loriaz parce qu'à Loriaz il y a les bêtes et les bergers, Vadim peut bien être monté apporter quelque chose, sa présence n'y est pas suspecte. Avant Loriaz, ne pas se faire voir. Et si ça arrivait, dire qu'il s'est égaré. Surtout, se débarrasser du sac avant de repasser la frontière, dans une combe par exemple, ne pas avoir l'air d'un qui a fui. Attendre la nuit s'il faut. Les Italiens ne sont pas dangereux mais les gendarmes oui, ils travaillent avec les Allemands – Éloi ne connaît pas les noms de Gurs, de Rivesaltes ni d'aucun camp, n'empêche il a raison.

— Répète ce que je viens de dire. Répète tout.

Il répète. Il se trompe, Éloi lui fait reprendre le récit, les variantes, jusqu'à ce qu'il n'hésite plus.

— Et après ? demande Vadim.

— Après quoi ?

— Quand je serai revenu.

— Il n'y a pas d'après, tu vas réussir.

Passer en Suisse. On dirait un message codé, pareil à ceux de Radio Londres. Vadim a mal au ventre. Passer en Suisse. Il décrypte seul, à l'intérieur, et sans mots ça fait juste un grand froid : quitter l'enfance. Il cherche les yeux de Louis, d'Albert, qui n'ont rien dit encore. Il les voit qui le dévisagent, tellement lointains, depuis un ailleurs, une autre histoire. La Suisse est là, déjà, dans le pèle la frontière est tracée. S'il réussit à passer on le dira peut-être malade, l'enfant asthmatique. Reparti à Paris. Ou bien on le dira mort, ce serait plus sûr, on n'aurait pas à prouver qu'il a pris le train où personne ne l'aura vu monter. Mourir pour vivre, comme Jean Valjean, il pense, le misérable que Fauchelevent, à sa demande, enterre vivant avant qu'il ressuscite sous un autre nom.

— Viens avec moi, dit Blanche.

Ils montent à la chambre. Il ne peut pas emporter sa valise, elle dit, seulement un sac avec de quoi manger, avoir chaud, et puis…

— On va regarder.

Elle s'agenouille, ouvre la valise. Chaque objet la déconcerte, elle n'a jamais fouillé là-dedans. Les bouts de crayons, non. Le peigne ? oui. Les comprimés, oui. Le médaillon… elle ne peut s'empêcher de s'y arrêter, troublée par ces visages. Le médaillon s'il veut, mais il le cachera s'il est pris, il doit le jurer, ou le jettera, ça pourrait le compromettre, et ses parents – ce sont forcément ses parents, qui d'autres ? Les feuilles, non. Les dessins passent entre ses mains, je peux ? Elle peut. Elle plonge dans les images, ses gestes ralentissent. Elle entre dans l'île haute, le pays insoupçonné, elle s'assoit sur ses jambes repliées et ses épaules s'enroulent autour de sa poitrine. Une montagne sous la mer contre laquelle ondulent des algues turquoise, qu'habitent des dinosaures, des bélemnites. Un visage d'homme jamais vu aux contours des aiguilles Rouges. Des mains rouges contre un pis bleu. Une silhouette de femme nue. Une fille sur fond de poutys en fleur où elle reconnaît Moinette.

— Ces grands yeux de chouette…

— Il faut que je lui donne, murmure Vadim.

— Oh, tu ne la verras pas.

KO dans le chaos, il est déjà sonné alors ça ne fait pas si mal. Des paysages aux teintes excentriques où Blanche croit voir la vallée, une pluie vert foncé, une mare violette, des vaches mauves sur des champs orangés. Une montagne dégradée blanc brun vert que termine un grand point d'interrogation. Une fille à bouche de pluie, corps de forêt, côtes en vallée de vent. Une forêt de troncs calcinés. Une longue plume noire irisée violette. Une femme à tête de poisson. Une montagne aux contours tremblés. Elle regarde l'amas de feuilles éparpillées, ce monde déplié dont le mystère reste entier. Elle mesure ce qui est perdu.

— Les dessins non.

Elle referme doucement la valise.

— Je vais te laisser quelque chose, elle chuchote. C'est trop grand pour ton sac, mais tu n'as pas besoin de sac.

En bas, dans le pèle, elle lui fait l'automne, la saison manquante. Elle dit désalpe, et il voit les vaches descendre de Loriaz, il suffit d'inverser le sens de la marche de juillet, de retourner les corps et le paysage, pour le reste, la reine du lait, la reine des cornes parées d'un bouquet de rhododendrons, les fromages rapportés au village entassés sur les luges, dans les hottes, il se fabrique des images. Elle dit larzes en feu et les mélèzes surgissent, trouent de roux le vert des sapins, les feuilles de caux virées rouille et les callunes aux allures de bruyère cramée en semblent les fruits tombés ; du feu je te dis, partout. Le soleil stagne bas derrière les massifs et plonge tôt à travers les Aiguilles, il la croit et la voit, cette marquèterie noire incrustée dans le ciel cuivre. Elle dit on cueille et on récolte, les pommes de terre, les airelles.

— Les noisettes, ajoute Louis.

Les carottes, les fèves, les petits-pois, les choux-raves, maigre produit des jardins, lui n'a vu que des feuilles. Des pommes rares, dures, serrées comme des cailloux.

— Des petites prunes, à la Villaz.

Elle dit coupes affouagères. Il ignore ce que ça veut dire, il comprend qu'il s'agit de bois mais il y a du vert là-dedans, du feuillage et de la fougère, c'est la forêt qu'on éclaircit. Il y en a qui sortent la nuit et collectent en plus du bois interdit, le *bois de lune*, elle dit, Vadim taille une forêt dans la lumière pâle.

Et sur les premiers gels les troncs écorcés dévalent en flèche les couloirs d'avalanches.

— En bas on débite en billons, dit Albert.

Billons, mot inconnu. On collecte la litière jusqu'à mi-novembre, jusqu'à la neige, la mousse les feuilles les aiguilles destinées à la couche des bêtes. Il pense à Rouquine, il ne la verra plus.

— Après, c'est l'hiver.

Blanche referme Vallorcine, l'hiver rejoint l'hiver, éteint le feu.

Il sent les coins de l'almanach s'enfoncer dans la peau qui pellicule son bassin. Ils marchent en silence ainsi que l'a exigé Éloi, à la cadence d'Éloi qui stoppe net au moindre craquement. Vadim se concentre sur l'almanach, le rectangle de carton tiède maintenu en place par la ceinture de son pantalon. Il l'a glissé là tout à l'heure tandis qu'Éloi tendait à l'homme une paire de chaussures lacées de grosse ficelle que le garçon a tout de suite reconnue. Vous me les rendrez là-haut, il a dit. L'almanach non, il le dérobe, nul ne le sait. Il traverse sa dernière nuit, sa dernière forêt, ses derniers alpages *Le Messager boiteux* greffé au corps et toutes les saisons serrées contre son ventre et il les emporte, automne compris, à l'intérieur figurent peut-être notées au crayon les dates de la dernière désalpe, des récoltes, des coupes affouagères, les futurs confisqués. Il marche sans penser, il s'y efforce, attentif à ses pieds, à la régularité de son pas, penser c'est trembler, l'inconnu est désormais hostile. Pour être sûr de ne pas penser il compte. Il a compté mille pas. Et quand la peur parvient à piquer ses côtes il gonfle l'abdomen, comprime à toute force l'almanach pour le sentir imprimer des rainures dans sa chair et assurer, comme il a attesté, il y a huit mois, que Vincent était un vrai prénom alors que Moinette hésitait à le croire, que Vallorcine a vraiment existé. Qu'il a existé à Vallorcine. Que tout ça n'était pas un mirage. Parce que déjà Vallorcine s'efface. C'est un autre garçon qui monte vers Loriaz ; c'est Vadim pour la première fois.

La nuit sans lune marque à peine le contraste entre ciel et terre, la nuit est une neige. Vadim sait que le noir n'existe pas, il est une invention de voyant, et il essaie de marcher selon Martin, prend garde à la texture du sol, aux reliefs sensibles, pour l'instant c'est facile, ce chemin-là est plus ancien que Louis et il est bien marqué. Deux mille pas. Ils traversent l'alpage aveugles au balcon ouvert sur les Posettes et le mont Blanc qui avait tant saisi, puis délivré Vincent de toute pesanteur, l'avait dilué dans le paysage, et où donc il demeure. L'herbe molle et mouillée par endroits produit d'étranges succions, étreint ses semelles. Des points de lumière oscillent du côté des écuries, c'est l'heure de la traite sans doute, ils passent et nul ne les entend – le bruit de ces cloches, se dit soudain Vadim, c'est la dernière fois. Deux mille quatre cent soixante et onze pas. Après l'alpage le sentier s'estompe. Il y a des rochers à grimper, à contourner au bord du vide, des prises à saisir, des parois à longer plaqué à la pierre, ce qui exige une attention constante, il n'a qu'une main valide ; tant mieux, il ne pense pas. Les chevilles se tordent, les genoux dévissent, marche, marche, chuchote Éloi, c'est tous les mots qu'il s'autorise, maintiens chauds tes muscles, tes articulations, et heureusement Vincent est dans Vadim, rodé au dénivelé, à l'accident, à l'endurance tandis qu'eux, les Hollandais, ils peinent, ça s'entend à leur souffle, à leur pas syncopé, les corps pèsent et souffrent. Trois mille pas.

Il sait la disparition inéluctable, sent qu'elle approche. Sur un replat il se retourne et c'en est fait, la découpe des reliefs contre le ciel dément tous les volumes connus. Il s'en détourne presqu'aussitôt car il y a une crevasse à franchir, Éloi doit l'encorder. La corde scie ses hanches, menace de déloger l'almanach et c'est pire encore, cette idée-là, que l'anéantissement du paysage, ou plutôt ça le redouble alors il sacrifie sa main valide, bloque l'almanach, en cas de chute tant pis il n'aura pas d'appui – l'almanach le trésor, l'archive, la preuve.

Le talisman. D'un coup sa mission mute. Sa mission vertigineuse et jouet de la chance, passer en Suisse et y rester, devient sauver l'almanach. Ça, ça ne dépend que de lui. Dès lors elle l'indiffère, la modestie trompeuse du poteau qui marque la frontière, son allure de leurre pareille au pont de Barberine dont l'unique mètre de barbelés dissimule de féroces mâchoires ; il devrait s'en méfier, des hommes et des fusils pourraient jaillir mais il ne s'attache qu'à l'almanach, cinquante centimètres carrés de carton calés contre sa peau, puisqu'au-delà rien n'est sûr. Évidemment il n'en mène pas large quand la poigne d'Éloi se desserre, Dieu soit avec toi, Vadim, aucun n'a la force d'en dire davantage. Évidemment tourner le dos à Éloi lui coûte, va, petit, ne regarde pas en arrière, et faire le premier pas dans le no man's land. Évidemment c'est un effroi que s'enfoncer dans les ténèbres, passe devant eux a dit Éloi, après avoir récupéré la paire de chaussures, tu es plus habile, il compte sur lui pour les guider. Mais sa charge véritable, son but, c'est porter l'almanach jusqu'au tunnel, jusqu'à Finhaut. Alors il lâche la main d'Éloi, il se retourne, il s'enfonce dans la nuit. Et il s'applique à retenir l'almanach à chaque pas, chaque saut, chaque défaillance du relief, et jusqu'au bas du mur d'ardoise contre lequel ils glissent. À lui faire traverser le ruisseau, ils avancent de l'eau jusqu'aux genoux sur les cailloux glissants, il le cale ferme sous sa chemise. À un moment Ian trébuche, étouffe un cri. Vadim sursaute et trébuche à son tour, il ne peut s'accrocher à rien et il s'effondre à genoux dans l'eau et la figure dans l'eau et quand il se relève trempé jusqu'à la taille l'almanach a glissé hors de son pantalon alors il tâtonne, paniqué, fouille le courant, sourd aux bruits d'eau qui pourraient les trahir dans le grand silence et ils font chhhhh, derrière lui, les Hollandais, il les ignore, c'est leur faute s'il a vacillé, s'il est tombé, s'il a perdu l'almanach, désespérément chhhh et l'homme pose en vain les mains sur les épaules de Vadim pour l'immobiliser, il se dégage et remue le ruisseau jusqu'à ce qu'il repêche un paquet de pages gonflées et molles, et une fois la rive gagnée il prend le temps de les faire dégorger sur la pierre, de les presser enroulées dans le pull sec tiré de son sac, des lunules de charpie incrustées sous les ongles. Vite, le presse l'homme, vite, ce garçon est fou. De reformer les angles droits, le quadrilatère d'origine. Puis il rentre son ventre, replace le bloc de carton dans l'étau que forment sa peau et sa ceinture.

La route jusqu'au tunnel les laisse à découvert. Ils avancent accroupis, par à-coups, ils rampent, on dirait des soldats préparant l'embuscade. Vadim a depuis longtemps cessé de compter ses pas, cessé de jouer le guide. Un vent léger glace ses vêtements mouillés. L'herbe abrase ses genoux écorchés, la terre brûle comme un sel. La douleur de son pouce se réveille sous l'attelle devenue mobile. L'almanach ponce sa peau. Le suspens n'est plus le chemin ; ils le voient le chemin, large, bien dessiné dans la nuit pâlissante, les reliefs désormais aisés à anticiper. Le croquis d'Éloi se déploie devant eux en trois dimensions et Vadim se figure mentalement le tunnel, là-haut. Le suspens c'est les troupes suisses, l'horaire des patrouilles, pourvu qu'il n'y ait pas de changement. Le suspens, c'est la résistance de l'almanach que les frottements de tissu et de peau lentement désagrègent.

Il n'y a pas eu de spectres ni de cadavres gelés depuis Loriaz, dans la montagne de Barberine, songe Vadim adossé à la paroi du tunnel. La même traversée sous la cousse, ou rien que sous la neige, il devine que ça peut en faire naître, des spectres et des cadavres. Ce tunnel, il n'a pas idée de l'endroit où il mène. Aussi noir que le tunnel de Montroc, sauf qu'ici pas de stalactites, pas d'haleine glacée, pas de branche de mélèze frottée contre le ciment, pas de passage. Ils sont tapis dans l'ombre ainsi que dans une grotte. Il mord dans un morceau de fromage. Ça le trouble d'avaler la pâte molle remontée de la cave de Blanche, coupée par la main de Blanche. L'almanach sèche à côté de lui, du moins il l'espère, bouillie de papier mâché beige blanc rouge.

Ils attendent. Peu à peu le ciel bleuit, ou plutôt c'est ce qu'ils croient car seul une sorte de clair de lune s'étire dans le tunnel. Ian a une montre. Il donnera le signal, si la montre fonctionne encore après avoir pris l'eau. Vadim pose la tête sur son sac, la paume en coque par-dessus l'almanach. Son cerveau épuisé feuillette un album de visages. Sa mère. Blanche. Il résiste, il ne faut pas faiblir. Olga. La mère de Moinette. Moinette. Oh, cette Moinette-là, des grains de sucre accrochés à la lèvre supérieure en diamants minuscules et la lèvre tremblante parce qu'il n'est pas venu, a manqué le rendez-vous de son anniversaire, les beignets frits rien que pour lui, il manquera tous les rendez-vous désormais, la vision de ce visage le dévaste. Des visages d'hommes. Éloi. Albert. Louis. Martin. Son père. Jean. Et d'autres s'agglomèrent, Jeanne, Émile, l'abbé, le maître, Pierre, Gustave, le Maigre et ceux dont il ne sait plus le nom, c'est une large et mouvante photo de famille où cohabitent les géographies et lui est là, au centre, avec ses boucles noires et ses longs cils de fille ; le garçon avec un V. Son cœur bat fort à l'heure de la séparation. Non de quitter ses compagnons de fuite, ils ne pèsent rien dans son existence, mais à l'idée de devoir affirmer, bientôt, à quelqu'un dont il ignore tout : je suis Vadim Pavlevitch. Dans une heure, deux au plus, après que Ian aura donné le signal, après l'irruption sous le franc soleil, après avoir de nouveau rejoint la forêt en priant pour ne pas avoir été vu ou alors été pris pour un autre, un villageois, un jeune berger, il fera ce qu'a dit Éloi et frappera à la porte d'une de ces maisons en surplomb du village appelé Finhaut – *Fin – Haut*, un nom porte-chance il espère. Et à l'homme qui ouvrira, et dont toute la figure dans l'instant exprimera une pitié sans fond parce qu'il aura vu l'attelle, le doigt bleu ; il aura vu les genoux croûtés noirs de terre ; il aura vu le pantalon mouillé ; il aura vu les cernes ; il aura vu l'abîme dans les yeux du garçon ; il aura vu les hommes et femmes à tête de truite agrippés à son dos et il aura compris avant même de savoir et dira entre, et conduira le garçon inconnu devant le poêle, et appellera sa femme, l'attendant servira au garçon un verre de lait ; à cet homme, donc, il livrera son nom de naissance, ce passeport pour la Suisse. Mais éprouvant les restes d'almanach collés en lichen à son ventre, durs et compacts comme un biscuit de mer, il pensera qu'il est, aussi, l'enfant de l'île haute.

Celui-de-l'île-haute, son nom d'Indien.

Pour Lili, depuis le royaume des pre-
mières fois.

REMERCIEMENTS

À Dominique Ancey et Nathalie Devillaz, merveilleuses passeuses, pour leur accueil et mise en relation avec les familles de la vallée des Ours.

À Annie Ancey, Pierre et Estelle Ancey, Roger Ancey, Yvonne Ancey, Louis Bozon, Claude Burnet, Hubert Burnet, Marguerite Chamel, Jean-Paul Claret, Simone Claret, Odette Claret, Yvette Devillaz, Jean-Marie et Jacqueline Dunand, Luc Dunand, Marcel et Chantal Dunand, Solange Dunand, Maryse Thévenet, Odette Vouilloz, habitants de Vallorcine qui ont bien voulu réveiller pour moi leur âme d'enfant.
À Xavier Dunand qui transmet si bien sa passion de la nature et du patrimoine.
À tous ceux qui m'ont accueillie dans ce pays qui n'est pas le mien : Dédé Devillaz pour l'amitié, qui n'est pas étrangère à ce roman ; Laurent Tardy ; Gudule Wyser, bibliothécaire ; Katia Bel et Lucile Valentin, professeures à l'école Robert-Chamel.

À Jacques Semelin, historien magnifique, qui voit la lumière même dans la tragédie.

À Eva Chanet, mon éditrice, qui a su que dans la montagne se cachait un roman.

À Guy Peslier et Michel Quint, fidèles amis et relecteurs.

À Luis, ma montagne.

DU MÊME AUTEUR

LA NOTE SENSIBLE (prix de l'Artois, prix Méditerranée des Jeunes, prix Bernard Palissy, prix René Fallet, prix Bibliothèques pour tous du Maine), Gallimard, 2002 ; Folio n° 4029.

SEPT JOURS (prix spécial Jeune Écrivain de la Fondation Hachette, prix des Autres Plaisirs en Beaujolais), Gallimard, 2003 ; Folio n° 5983.

L'ANTILOPE BLANCHE (prix du Rotary Club International, prix Culture et Bibliothèques pour tous), Gallimard, 2005 ; Folio n° 4585.

PETIT ÉLOGE DES GRANDES VILLES, Gallimard, 2007 ; Folio n° 4620.

L'ÉCHAPPÉE (prix Ouest, prix Livres et Musique de la ville de Deauville – prix des lecteurs de la ville de Deauville), Gallimard, 2007 ; Folio n° 4776.

QUI TOUCHE À MON CORPS JE LE TUE, Gallimard, 2008 ; Folio n° 5003.

DES CORPS EN SILENCE, Gallimard, 2010 ; Folio n° 5281.

MÉDUSES, éditions Jérôme Millon, 2010.

BANQUISES, Albin Michel, 2011 ; Le Livre de poche n° 33072.

KINDERZIMMER (prix des Libraires, prix Libraires en Seine, prix des lecteurs du *Maine libre*, prix SOS libraires, prix Gabrielle D'Estrée, prix littéraire de l'Académie de Bretagne et des Pays de Loire, prix Coup de cœur des lecteurs du Salon du livre d'histoire de Blois, prix Jean d'Heurs du roman historique, prix Jean Monnet des Jeunes Européens, prix des lycéens et apprentis d'Île-de-France, prix des lycéens de Gujan Mestras, prix des lycéens et apprentis de la région PACA, prix de la Fondation Annalise Wagner), Actes Sud, 2013 ; Babel n° 1300.

LA FILLE SUREXPOSÉE, Alma éditeur, 2014 ; Babel n° 1829.

BAUMES, Actes Sud, coll. "Essences", 2014.

UN PAQUEBOT DANS LES ARBRES (grand prix SGDL de la fiction, prix des lecteurs de l'*Hebdo*, Étoile du journal *Le Parisien* – meilleur roman français, prix Lycéens des villes, lycéens des champs – Normandie, prix Azur – Alpes-Maritimes), Actes Sud, 2016 ; Babel n° 1558.

"JE ME PROMETS D'ÉCLATANTES REVANCHES", L'Iconoclaste, 2017 ; Babel n° 1615.

MURÈNE (prix Handi-Livre du meilleur roman, prix du meilleur livre de l'Union des journalistes sportifs de France, prix Solidarité – Harmonie Mutuelle / *L'Obs*), Actes Sud, 2019 ; Babel n° 1769.

L'ÎLE HAUTE, Actes Sud, 2022.

Littérature jeunesse

BONNES VACANCES !, collectif, Gallimard, "Scripto", 2003.

DE L'EAU DE-CI, DE-LÀ, collectif, Gallimard, "Scripto", 2005.

VA Y AVOIR DU SPORT, collectif, Gallimard, "Scripto", 2005.

MANUELO DE LA PLAINE, Gallimard, 2007 ; Folio junior n° 1440.

LE RÊVE DE JACEK : DE LA POLOGNE AUX CORONS DU NORD, Autrement Jeunesse, "Français d'ailleurs", 2007.

LE CAHIER DE LEÏLA : DE L'ALGÉRIE À BILLANCOURT, Autrement Jeunesse, "Français d'ailleurs", 2007.

ADAMA OU LA VIE EN 3D : DU MALI À SAINT-DENIS, Autrement Jeunesse, "Français d'ailleurs", 2008.

LE SECRET D'ANGELICA : DE L'ITALIE AUX FERMES DU SUD-OUEST, Autrement Jeunesse, "Français d'ailleurs", 2008.

THIÊN AN OU LA GRANDE TRAVERSÉE : DU VIETNAM À PARIS XVIIIᵉ, Autrement Jeunesse, "Français d'ailleurs", 2009.

CHAÏMA ET LES SOUVENIRS D'HASSAN : DU MAROC À MARSEILLE, Autrement Jeunesse, "Français d'ailleurs", 2009.

JOÃO OU L'ANNÉE DES RÉVOLUTIONS : DU PORTUGAL AU VAL-DE-MARNE, Autrement Jeunesse, "Français d'ailleurs", 2010.

ANOUCHE OU LA FIN DE L'ERRANCE : DE L'ARMÉNIE À LA VALLÉE DU RHÔNE, Autrement Jeunesse, "Français d'ailleurs", 2010.

ANTONIO OU LA RÉSISTANCE : DE L'ESPAGNE À LA RÉGION TOULOUSAINE, Autrement Jeunesse, "Français d'ailleurs", 2011.

LYUBA OU LA TÊTE DANS LES ÉTOILES : LES ROMS, DE LA ROUMANIE À L'ÎLE-DE-FRANCE, Autrement Jeunesse, "Français d'ailleurs", 2012.

LE VOYAGE IMMOBILE (prix du Salon des Dames de Nevers – "Nouvelle Génération"), Actes Sud Junior, coll. "D'une seule voix", 2012.

LA PORTE ROUGE, avec des photographies de Hortense Vinet, Thierry Magnier, 2013.

LES DEUX VIES DE NING : DE LA CHINE À PARIS-BELLEVILLE, Autrement Jeunesse, "Français d'ailleurs", 2013.

UNE PREUVE D'AMOUR, Thierry Magnier, 2013.

LE MYSTÈRE DE HAWA'A, album jeunesse, Albin Michel Jeunesse, 2013.

LE GRAND MENSONGE DE LA FAMILLE POMMEROL (prix Azimut), Thierry Magnier, 2015.

JULIETTE POMMEROL CHEZ LES ANGLICHES (primé des écoliers de Reims, prix Époque du Salon du livre de Caen), Thierry Magnier, 2016.

LE SORCIER VERT, Thierry Magnier, 2016.

TOUS FRANÇAIS D'AILLEURS. TOME 1 (Ravens des meilleurs livres européens pour la jeunesse), Casterman, 2017.

LA FIESTA DE MAMIE POMMEROL, Thierry Magnier, 2017.

TOUS FRANÇAIS D'AILLEURS. TOME 2, Casterman, 2018.

TU SERAS MON ARBRE, illustré par Frédéric Rébéna, Thierry Magnier, 2018.

L'ANGUILLE (lauréat de la Pépite internationale de la fiction junior du Salon du livre et de la presse jeunesse, prix Bermond Boquié), Thierry Magnier, 2020.

LE CHAPEAU CHARMANT, illustré par Evelyne Mary, L'École des loisirs, coll. "Mouche", 2021.

OUVRAGE RÉALISÉ
PAR L'ATELIER GRAPHIQUE ACTES SUD
REPRODUIT ET ACHEVÉ D'IMPRIMER
EN JUILLET 2022
PAR NORMANDIE ROTO IMPRESSION S.A.S.
À LONRAI
POUR LE COMPTE DES ÉDITIONS
ACTES SUD
LE MÉJAN
PLACE NINA-BERBEROVA
13200 ARLES

DÉPÔT LÉGAL
1re ÉDITION : AOÛT 2022

N° impr. : 2202964

(Imprimé en France)